Entender y Hablar

Gregory G. LaGrone

Andrea Sendón McHenry

Patricia O'Connor

ESPAÑOL:

Entender y Hablar

HOLT, RINEHART AND WINSTON·NEW YORK

ABOUT THE AUTHORS OF ESPAÑOL: Entender y Hablar

Gregory G. LaGrone is Associate Professor of Romance Languages at the University of Texas, a specialist in seventeenth century Spanish literature, and author of textbooks widely used at the high school and college level.

Andrea Sendón McHenry is Supervisor of Foreign Languages in the elementary and secondary schools of Houston, Texas, with classroom teaching experience in the schools of La Porte and Houston. In 1959, Mrs. McHenry was Assistant Director and Demonstration Teacher at the NDEA Summer Institute of the University of Texas. She is a Consultant to the U. S. Office of Education, Title VI, Language Development Program, a committee member on the MLA Teacher Qualifications Testing Program, and a member of the Executive Council of the AATSP.

Patricia O'Connor is Assistant Professor of Linguistics and Education at Brown University, where she is in charge of the language laboratory. Miss O'Connor has also taught at Stanford University (where she worked with the Stanford Program for Language Teaching in the Elementary Schools), at Teacher's College Columbia (where she was visiting professor of Linguistics and Education), and in the National Education University and Keio University in Japan. Miss O'Connor is the author of *Modern Foreign Languages in High School* (U. S. Office of Education Bulletin No. OE–27000), and co-author, with E. F. Haden, of *Oral Drills in Spanish*. She has served and is serving as a Consultant to the U. S. Office of Education, on problems of language teaching, and is presently on the Committee for the Testing Program of the MLA.

Illustrations by **Alan Moyler.**

Cover photographs by Max Tatch (*front:* Ávila, Spain) and Otto Done (*back:* Mexico City) from Shostal.

JUNE, 1966

Contents

1   Greetings... 1

2   Names... 9

3   Friends.. 17

4   Family.. 25

5   Addresses... 33

FIRST REVIEW.. 41

6   Time of Day... 45

7   Meals... 55

8   Activities.. 65

9   Entertainments.. 75

10   Dates... 85

SECOND REVIEW.. 95

11   A Holiday... 99

12   Shopping.. 109

13   Having Refreshments....................................... 119

14   Illnesses and Accidents..................................... 129

15   At a Dance.. 139

THIRD REVIEW... 149

16   An Outing... 153

17   On the Telephone.. 163

18   A Get-Together.. 175

19   Vacation.. 185

20   In the Capital... 197

FOURTH REVIEW... 207

INDEX OF EQUIVALENTS...................................... i

SPANISH WORD LIST... XXXV

Entender y Hablar

Greetings

1 Hello (Good morning).
2 Hello (Good afternoon).
3 Hello (Good evening).

4 "Hi, Frank! How goes it? How are you?"
5 "Fine, and you?"

6 "How are you, Mr. Méndez?"
7 "I'm fine, thank you.
8 And you, Edward, how are you?"

9 "The family is well?"
10 "Yes sir, rather well."

11 "How are Paul and Louise?"
12 "Paul's fine.
13 But Louise has a cold."
14 "That's too bad. I'm sorry.
15 I hope she gets better soon."
16 "Thank you very much."

17 "Well, I've got to go."
18 "Well, then, see you later."

19 "Good-bye. Be seeing you."
20 "Good-bye. Regards to everybody."

Saludos

1 Buenos días.
2 Buenas tardes.
3 Buenas noches.

4 –¡Hola, Paco! ¿Qué tal? ¿Cómo estás?
5 –Muy bien, ¿y tú?

6 –¿Cómo está usted, señor Méndez?
7 –Estoy bien, gracias.
8 Y tú, Eduardo, ¿cómo estás?

9 –La familia, ¿está bien?
10 –Sí, señor, bastante bien.

11 –¿Cómo están Pablo y Luisa?
12 –Pablo está bien.
13 Pero Luisa tiene catarro.
14 –¡Qué lástima! Lo siento.
15 Ojalá que se mejore pronto.
16 –Muchas gracias.

17 –Bueno, tengo que irme.
18 –Entonces, hasta luego.

19 –Adiós. Hasta la vista.
20 –Adiós. Recuerdos a todos.

Question-Answer Practice

1 PACO ¡Hola! ¿Qué tal? ¿Cómo estás?
 PABLO Bien, ¿y tú?

2 FELIPE ¿Cómo está Eduardo?
 MANUEL Está bien, gracias.

3 LUCÍA Buenos días. ¿Cómo estás?
 ANITA Muy bien, ¿y tú?

4 LUISA ¿Cómo está Paco?
 FELISA Bastante bien.

5 SR. MÉNDEZ ¿Cómo estás, Eduardo?
 EDUARDO Bien, gracias, ¿y usted, señor Méndez?

6 SR. LÓPEZ La familia, ¿está bien?
 JULIÁN Sí, señor, bastante bien.

7 GLORIA Buenas tardes. ¿Cómo está usted, señorMéndez?
 SR. MÉNDEZ Estoy bien, gracias.

8 ISABEL ¿Cómo está Luisa?
 SR. GÓMEZ Luisa tiene catarro.

9 SR. MARÍN Buenas noches. ¿Cómo está?
 SR. FERNÁNDEZ Bien, gracias, ¿y usted?

10 SRA. LÓPEZ ¿Cómo están Pablo y Luisa?
 SRA. GÓMEZ Pablo está bien, pero Luisa tiene catarro.

Pattern Practice

1   ¡Hola, - -
Paco
Luisa
Pablo
Eduardo
Lucía
Felipe

- - !   ¿Qué tal?   ¿Cómo estás?

2   Estoy - -
bien	
muy bien	
bastante bien	
así así	*so so*
mejor	*better*
mucho mejor	*much better*

- - .

3   ¿Cómo está usted, - -
señor Méndez
señor Marín
señora López
señora Gómez
señorita Marín
señorita Fernández

- - ?

4   Y tú, - -
Eduardo
Alicia
Felipe
Anita
Manuel
Felisa

- - ,   ¿cómo estás?

5   Pablo está bien, pero - -
Luisa
Isabel
Gloria
Julián
Manuel
Felipe

- - tiene catarro.

6 Entonces, hasta - -

luego	
la vista	
pronto	
mañana	*tomorrow*
después	*later*
más tarde	*later*

- -.

7 Adiós.   Recuerdos - -

a todos
a la familia
a Estela
a Elena
a Pablo
a Felipe y a Manuel

- -.

8 ¿Cómo - -

está	Eduardo Lucía Manuel
están	Pablo y Luisa Paco y Felipe Anita y Luisa

- - ?

9 ¿Cómo - -

estás,	Paco Anita Pablo
está usted,	señor López señora Marín señorita Gómez

- - ?

10 Buenos días, - -

Eduardo, Lucía, Manuel,	¿cómo estás?
señor Méndez, señora López, señorita Marín,	¿cómo está usted?

Conversations

1 Paco takes a package of cold tablets from the druggist.   He starts out.   Felipe enters.

    PACO   ¡Hola, Felipe!   ¿Qué tal?   ¿Cómo estás?
    FELIPE Muy bien, ¿y tú?
    PACO   Así así.   Tengo catarro.
    FELIPE Lo siento.
    PACO   Gracias.   Bueno, tengo que irme.
    FELIPE Entonces, hasta luego.

2 Walking home from school, Anita passes Gloria's house.   Gloria was absent today.   Her younger sister, Felisa, is playing in the yard.

    ANITA   ¡Hola, Felisa!   ¿Cómo está Gloria?
    FELISA Tiene catarro.
    ANITA   ¡Qué lástima!   Ojalá que se mejore pronto.
    FELISA Gracias.
    ANITA   Bueno, tengo que irme.   Saludos a Gloria.
    FELISA Adiós.   Hasta la vista.

3 Mr. Fernández, a friend of the Gómez family, is buying the Sunday papers.   Manuel Gómez rides up on his bicycle.

    SR. FERNÁNDEZ ¡Hola, Manuel!   ¿Cómo estás?
    MANUEL   Bien, gracias, Sr. Fernández.   Y ¿cómo está usted?
    SR. FERNÁNDEZ Estoy bien, gracias.   La familia, ¿está bien?
    MANUEL   Sí, señor, bastante bien.
    SR. FERNÁNDEZ ¿Cómo están Pablo y Luisa?
    MANUEL   Pablo está bien, pero Luisa tiene catarro.
    SR. FERNÁNDEZ Lo siento.   Ojalá que se mejore pronto.
    MANUEL   Muchas gracias.   Bueno, tengo que irme.
    SR. FERNÁNDEZ Entonces, hasta la vista.   Recuerdos a todos.
    MANUEL   Adiós.

4 Mrs. López has been visiting her sister in the hospital.   She is greeted by Mrs. Méndez as she leaves.

    SRA. MÉNDEZ ¡Oh, Estela!   ¿Cómo está Lucía?
    SRA. LÓPEZ   Está mucho mejor, gracias.

SRA. MÉNDEZ ¡Qué bien!   Y tú ¿cómo estás?
SRA. LÓPEZ Bien, gracias.   Bueno, Isabel, tengo que irme.
SRA. MÉNDEZ Adiós.   Recuerdos a todos.

5   Mr. Marín hasn't seen Mr. Fernández for weeks.   They meet downtown.

SR. MARÍN ¡Hola, Fernández!   ¿Cómo está usted?
SR. FERNÁNDEZ Bien, ¿y usted?
SR. MARÍN Bien, gracias.   La familia, ¿está bien?
SR. FERNÁNDEZ Todos bien, gracias.   Y Alicia ¿cómo está?
SR. MARÍN Así así.   Tiene catarro.
SR. FERNÁNDEZ ¡Qué lástima!   Ojalá que se mejore pronto.
SR. MARÍN Gracias.   Recuerdos a todos.
SR. FERNÁNDEZ Adiós.   Hasta la vista.
SR. MARÍN Sí.   Hasta la vista.

6   Mrs. López sees the neighbor's boy, Eduardo, across the street.

SRA. LÓPEZ ¡Hola, Eduardo!
EDUARDO Buenos días, señora.
SRA. LÓPEZ ¿Está mejor Elena?
EDUARDO Sí, señora, mucho mejor.
SRA. LÓPEZ Y Julián ¿cómo está?
EDUARDO Julián tiene catarro.
SRA. LÓPEZ Lo siento.   Que se mejore pronto.
EDUARDO Muchas gracias, señora.

7   Mrs. Méndez meets Mrs. Gómez and her son Pablo on the way to the store.

SRA. MÉNDEZ ¡Hola, Elena!   ¿Cómo estás?
SRA. GÓMEZ Bien, ¿y tú?
SRA. MÉNDEZ Y tú, Pablo, ¿estás bien?
PABLO Muy bien, señora.
SRA. MÉNDEZ Y Luisa ¿cómo está?
SRA. GÓMEZ Luisa tiene catarro.
SRA. MÉNDEZ Lo siento.   Que se mejore.
SRA. GÓMEZ Gracias.
SRA. MÉNDEZ Bueno, tengo que irme.
SRA. GÓMEZ Adiós.   Hasta la vista.
PABLO Adiós, señora.

8 Pablo is preparing to board the bus. Mr. López, a friend of the family, gets off.

PABLO   Buenas tardes, señor López. ¿Cómo está usted?
SR. LÓPEZ   Muy bien. Y tú, Pablo, ¿cómo estás?
PABLO   Muy bien.
SR. LÓPEZ   Y ¿cómo está la familia?
PABLO   Bastante bien. Pero Luisa tiene catarro.
SR. LÓPEZ   ¡Qué lástima! Que se mejore.
PABLO   Gracias.
SR. LÓPEZ   Bueno, Pablo, tengo que irme. Recuerdos a todos.
PABLO   Muchas gracias. Adiós, señor López.
SR. LÓPEZ   Adiós.

9 Anita is standing at the gate when Mrs. Méndez, from down the block, goes by.

ANITA   Buenas noches, señora Méndez. ¿Cómo está usted?
SRA. MÉNDEZ   Bien, ¿y tú?
ANITA   Muy bien, señora. Y Elena ¿cómo está?
SRA. MÉNDEZ   Está bien, gracias. Bueno, Anita, hasta pronto.
ANITA   Adiós, señora.

Names

1 "My name is Philip.
2   And you, what's your name?"
3 "I'm Henry . . .
4   And this is my friend Julian."

5 "Lucy, this is my friend Gloria."
6 "Glad to know you."
7 "I'm glad to know you, too."

8 "I'm Mr. López.
9   You're Isabel, aren't you?"
10 "No, I'm Anita."
11 "What's your last name?"
12 "My last name is Gómez."

13 "Say, what's that boy's name?"
14 "His name's Manuel."
15 "And that girl is Felicia, isn't she?"
16 "No, she's Louise Fernández."

17 "Tell me, do you know who that lady is?"
18 "No, I don't know."
19 "And that man who is with her?"
20 "I think he's Mr. López Marín."

Nombres

1 –Me llamo Felipe.

2   Y tú ¿cómo te llamas?

3 –Yo, Enrique . . .

4   Y éste es mi amigo Julián.

5 –Lucía, ésta es mi amiga Gloria.

6 –Mucho gusto.

7 –El gusto es mío.

8 –Yo soy el señor López.

9   Tú eres Isabel, ¿verdad?

10 –No, yo soy Anita.

11 –¿Cuál es tu apellido?

12 –Mi apellido es Gómez.

13 –Oye ¿cómo se llama ese muchacho?

14 –Se llama Manuel.

15 –Y esa muchacha es Felisa, ¿verdad?

16 –No, es Luisa Fernández.

17 –Dime, ¿sabes quién es esa señorita?

18 –No, no lo sé.

19 –¿Y ese señor que está con ella?

20 –Creo que es el señor López Marín.

Question-Answer Practice

1 ENRIQUE ¿Cómo te llamas?
  FELIPE Me llamo Felipe.

2 CARLOS ¿Sabes quién es ese muchacho?
  MIGUEL Sí, es mi amigo Julián.

3 JOSÉ ¿Quién es esa muchacha?
  ALBERTO Es Anita Gómez.

4 LUCÍA ¿Cómo se llama ese muchacho?
  GLORIA Se llama Manuel.

5 LUPE Esa muchacha es Felisa, ¿verdad?
  JOSEFA No, es Luisa Fernández.

6 TERESA ¿Es usted el señor Méndez?
  SR. LÓPEZ No, yo soy el señor López.

7 SR. SÁNCHEZ Tú eres Isabel, ¿verdad?
  ANITA No, yo soy Anita.

8 SR. SALINAS ¿Cuál es tu apellido?
  LUISA Mi apellido es Gómez.

9 SR. GUEVARA ¿Sabe usted quién es esa señorita?
  SR. RODRÍGUEZ No, no lo sé.

10 SRA. REYES ¿Quién es ese señor?
   SRTA. DE LA TORRE Creo que es el señor López Marín.

Pattern Practice

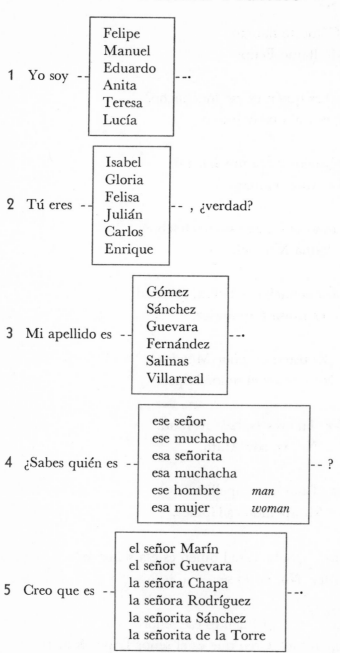

1 Yo soy --| Felipe
Manuel
Eduardo
Anita
Teresa
Lucía |--.

2 Tú eres --| Isabel
Gloria
Felisa
Julián
Carlos
Enrique |-- , ¿verdad?

3 Mi apellido es --| Gómez
Sánchez
Guevara
Fernández
Salinas
Villarreal |--.

4 ¿Sabes quién es --| ese señor
ese muchacho
esa señorita
esa muchacha
ese hombre   *man*
esa mujer   *woman* |-- ?

5 Creo que es --| el señor Marín
el señor Guevara
la señora Chapa
la señora Rodríguez
la señorita Sánchez
la señorita de la Torre |--.

6 Me llamo - -｜ Enrique
Eduardo
Miguel
Luisa
Elena
Alicia ｜- - .

7 ¿Cómo se llama - -｜ ese señor
ese muchacho
ese hombre
esa señora
esa muchacha
esa señorita ｜- - ?

8 Tú eres
———————
Usted es

Pablo
Isabel
Eduardo

el señor López
la señora Méndez
la señorita Guevara - - , ¿verdad?

9 Lucía, - -｜ éste es mi amigo
——————
ésta es mi amiga

Julián
Paco
Miguel

Gloria
Luisa
Elena ｜- - .

10 Ese muchacho es
——————————
Esa muchacha es

Manuel
Pablo
Felipe

Felisa
Elena
Alicia - - , ¿verdad?

Conversations

1 In the cafeteria Carlos takes a seat across the table from a new classmate, whose name he can't remember.

> CARLOS Me llamo Carlos López. Y tú ¿cómo te llamas?
> ENRIQUE Yo, Enrique Salinas. Y éste es mi amigo José Fernández.
> CARLOS Hola, ¿qué tal?

2 Elena is with her friend Gloria at a party. She sees her cousin Lucía coming toward them.

> ELENA ¡Hola, Lucía! ¿Cómo estás?
> LUCÍA Muy bien, ¿y tú?
> ELENA Bien, gracias. Lucía, ésta es mi amiga Gloria.
> LUCÍA Mucho gusto.
> GLORIA El gusto es mío.

3 Home late from the office, Mr. Fernández sees several of his daughter's friends in the living room. Uncertain on names, he addresses one of them.

> SR. FERNÁNDEZ Tú eres Alicia, ¿verdad?
> ANITA No, yo soy Anita.
> SR. FERNÁNDEZ ¿Cuál es tu apellido?
> ANITA Mi apellido es Marín.
> SR. FERNÁNDEZ Ah, sí. Anita Marín. ¿Cómo están todos?
> ANITA Todos muy bien, gracias.

4 Miguel and Julián see a boy and girl enter the room.

> MIGUEL Oye, ¿cómo se llama ese muchacho?
> JULIÁN Se llama Manuel López.
> MIGUEL Y esa muchacha es Felisa, ¿verdad?
> JULIÁN No, es Luisa Fernández.

5   Anita and Gloria are looking at a picture on the society page of the newspaper.

    ANITA   Dime, ¿sabes quién es esa señorita?
    GLORIA   Creo que es la señorita López Marín.
    ANITA   ¿Y ese señor que está con ella?
    GLORIA   No lo sé.

6   The mayor, Mr. Marín, meets Mr. Fernández and one of his several little daughters at the Post Office.

    SR. MARÍN   ¡Hola, Fernández!   ¿Qué tal?   ¿Cómo estás?
    SR. FERNÁNDEZ   Bien, ¿y tú?
    SR. MARÍN   Muy bien.   Y tú, Isabelita, ¿cómo estás?
    LUISA   No soy Isabel.   Soy Luisita.
    SR. FERNÁNDEZ   Luisita, éste es el señor Marín.
    LUISA   ¿Cómo está usted?
    SR. MARÍN   Bien, ¿y tú?
    LUISA   Muy bien.   Pero Isabel tiene catarro.
    SR. MARÍN   Lo siento.   Y Teresa ¿cómo está?
    SR. FERNÁNDEZ   Teresa está bien, gracias.   Bueno, tengo que irme.
    SR. MARÍN   Mucho gusto.   Hasta la vista.
    SR. FERNÁNDEZ   Adiós.
    LUISA   Adiós, señor Marín.

7   Felipe and Enrique are at the station.   They see the distinguished senator Sánchez, who lived next door to Felipe years before.

    FELIPE   Oye, Enrique, ¿no es ése el Sr. Sánchez?
    ENRIQUE   Creo que sí . . .
    FELIPE   ¿Es usted el señor Sánchez?
    SR. SÁNCHEZ   Sí, soy Alberto Sánchez.
    FELIPE   Y yo soy Felipe Reyes.
    SR. SÁNCHEZ   ¡Ah, sí!   ¡Qué bien!   ¿Cómo estás?   ¿Cómo está la familia?
    FELIPE   Todos muy bien, gracias.   Señor Sánchez, éste es mi amigo Enrique.
    ENRIQUE   Mucho gusto, señor Sánchez.
    SR. SÁNCHEZ   El gusto es mío.   Felipe, lo siento mucho, pero tengo que irme.   Recuerdos a todos.
    FELIPE   Gracias.   Adiós, señor Sánchez.
    ENRIQUE   Adiós.

8 At a ladies' club meeting, newcomer Mrs. López tries to develop a conversation with Mrs. Guevara.

SRA. LÓPEZ	Soy Josefa López. ¿Es usted la señora Rodríguez?
SRA. DE GUEVARA	No, yo soy la señora de Guevara.
SRA. LÓPEZ	Mucho gusto, señora . . . ¿Sabe usted quién es esa señora?
SRA. DE GUEVARA	No, no lo sé.
SRA. LÓPEZ	¿Es ésa la señora Chapa?
SRA. DE GUEVARA	No, es la señora de Villarreal.
SRA. LÓPEZ	La muchacha que está con ella es Lupe Gómez, ¿verdad?
SRA. DE GUEVARA	No, es la señorita De la Torre.
SRA. LÓPEZ	Y esa señorita ¿cómo se llama?
SRA. DE GUEVARA	No lo sé. Tengo que irme. Adiós, señora.
SRA. LÓPEZ	Mucho gusto. Hasta la vista.

Friends

1   "Do you know Michael?"
2   "Yes, we're good friends.
3   He's a nice guy.
4   He's lively and lots of fun.
5   Also very smart."

6   "What is Helen like?"
7   "She's a very pretty girl.
8   And she's vivacious, too.
9   She's very nice."

10   "Theresa is a friend of Helen's, isn't she?"
11   "I don't know.　I don't know her."
12   "Really?
13   She's Alice's sister.
14   They're two very likeable girls.
15   Look.　Here they both come."

16   "There are Raymond and Charlotte.
17   They say they're sweethearts."
18   "No, they're just friends."
19   "She's very pretty."
20   "And he's very good looking."

Amigos

1 –¿Conoces a Miguel?

2 –Sí, somos buenos amigos.

3 Es un buen chico.

4 Es alegre y divertido.

5 También muy listo.

6 –¿Cómo es Elena?

7 –Es una chica muy bonita.

8 Y además es graciosa.

9 Es muy simpática.

10 –Teresa es amiga de Elena, ¿verdad?

11 –No sé.   No la conozco.

12 –¿De veras?

13 Es la hermana de Alicia.

14 Son dos chicas muy simpáticas.

15 Mira, ahí vienen las dos.

16 –Allí están Ramón y Carlota.

17 Dicen que son novios.

18 –No, son amigos nada más.

19 –Ella es muy linda.

20 –Y él muy bien parecido.

Question-Answer Practice

1 ALFREDO ¿Conoces a Miguel?
   RAFAEL Sí, somos buenos amigos.

2 DIEGO ¿Cómo es Julián?
   ROBERTO Es alegre y divertido.

3 ALBERTO ¿Es Felipe un muchacho listo?
   FRANCISCO Sí, es muy listo.

4 CELIA ¿Quién es Teresa?
   BELITA Es la hermana de Alicia.

5 ELISA ¿Cómo son Teresa y Alicia?
   CHAVELA Son muy simpáticas.

6 LUCÍA ¿Son novios Ramón y Carlota?
   EMILIA No, son amigos nada más.

7 CLAUDIO ¿Es linda Carlota?
   BERNARDO Sí, y además es graciosa.

8 ERNESTO ¿Cómo es Elena?
   EUGENIO Es una chica muy bonita.

9 SR. VÁZQUEZ ¿Conoce usted a Manuel Gómez?
   SR. GUZMÁN Sí, somos amigos.

10 SRA. ZAPATA Usted es amiga de Isabel Fernández, ¿verdad?
    SRA. GUTIÉRREZ Sí, somos buenas amigas.

Pattern Practice

1 ¿Conoces a ── | Miguel
Francisco
Bernardo
Teresa
Celia
Belita | ── ?

2 Miguel es un chico muy ── | listo
alegre
divertido
gracioso
simpático
bien parecido | ──.

3 Elena es una muchacha muy ── | bonita
graciosa
simpática
linda
lista
divertida | ──.

4 Teresa y Alicia son dos chicas muy ── | simpáticas
bonitas
listas
lindas
graciosas
divertidas | ──.

5 ¿Es ── | Felipe
Diego
Alberto

Alicia
Emilia
Carlota | amigo

amiga | ── de Elena?

6 ¿Son -- | amigos / amigas | -- Pepe y Miguel / Ramón y Carlota / Elisa y Julián / Anita y Luisa / Isabel y Felisa / Gloria y Lucía -- ?

7 Manuel / Alfredo / Eugenio / Teresa / Emilia / Chavela -- | es simpático / es simpática | -- , ¿verdad?

8 No conozco a -- Diego / ese chico / ese señor / Celia / esa muchacha / esa señorita -- · ¿ -- | Lo / La | -- conoces tú?

9 ¿Quiénes son -- esos chicos / esos señores / esos muchachos / esas chicas / esas señoritas / esas muchachas -- ? Yo no -- | los / las | -- conozco.

10 Pablo y Luisa / Carlos y Manuel / Adela y Roberto / Celia y Belita / Anita y Lucía / Alicia y Teresa -- son muy -- | simpáticos / simpáticas | -- ·

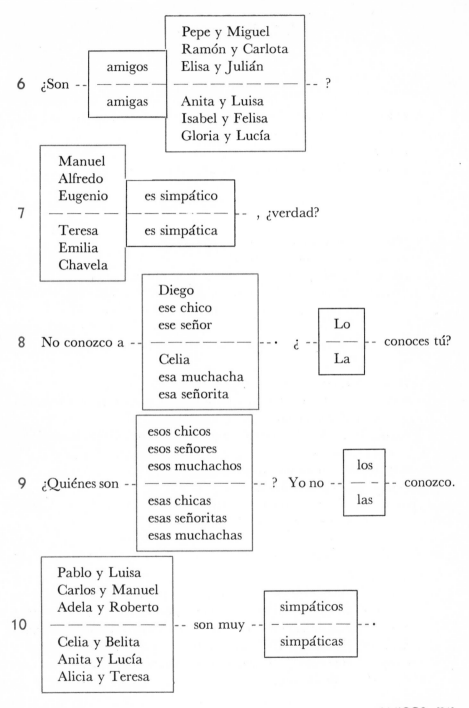

Conversations

1 On their way to the practice field, Enrique and Julián talk about the newly elected captain of the team.

> ENRIQUE No conozco a Miguel Gómez. Tú lo conoces, ¿verdad?
> JULIÁN Sí. Somos buenos amigos.
> ENRIQUE ¿Cómo es?
> JULIÁN Es un buen chico, alegre y divertido.

2 Luisa can hardly wait to give Gloria the latest news. The girls are, of course, on the phone.

> LUISA ¿Conoces a Ramón Fernández?
> GLORIA Sí, lo conozco muy bien.
> LUISA Y ¿sabes que él y Carlota Vázquez son novios?
> GLORIA ¿De veras? No conozco a Carlota. ¿Cómo es?
> LUISA Es una chica muy bonita. Y además es graciosa.

3 Felisa and Isabel are window shopping. They see an attractive young couple just ahead of them.

> FELISA Allí está Ramón Fernández.
> ISABEL Sí, y la muchacha que está con él es Carlota Vázquez. ¿La conoces?
> FELISA No, no la conozco. Pero dicen que ella y Ramón son novios.
> ISABEL No, son amigos nada más.
> FELISA Ella es muy linda.
> ISABEL Y él muy bien parecido. Mira, ahí vienen. ¡Hola, Carlota y Ramón! ¿Qué tal?

4 While having refreshments between halves at the game, Rafael and Alfredo look over the crowd.

> RAFAEL ¿Sabes quién es el muchacho que está con Miguel?
> ALFREDO Es Carlos López. ¿No lo conoces? Son buenos amigos.
> RAFAEL No, no lo conozco. Mira, ahí vienen Ramón y Carlota.
> ALFREDO ¿Ramón y Carlota? ¿Quiénes son? No los conozco.
> RAFAEL ¿De veras? Carlota es la hermana de Alicia. Es muy linda, ¿no?

5 Mr. Zapata, who never seems able to match names and faces, stops Mr. Guzmán on the street.

SR. ZAPATA   Buenas tardes.   Usted es Alberto López, ¿verdad?
SR. GUZMÁN   No, yo me llamo Manuel Guzmán.
SR. ZAPATA   ¿No es usted el hermano de Francisco López?
SR. GUZMÁN   No, señor.   No lo conozco.   Mi apellido es Guzmán.
SR. ZAPATA   Lo siento mucho, señor.

6 The girls are on the phone again.   Celia and Belita are talking.

CELIA   ¿Conoces a Alicia Vázquez?
BELITA   Sí, la conozco bastante bien.   Es amiga de mi hermana.
CELIA   ¿No sabes que ella y Roberto Marín son novios?
BELITA   ¿De veras?   ¡No lo creo!   Él es un chico muy listo.
Además, muy bien parecido.   Ella es simpática, pero
no muy bonita.

7 Chavela is giving a party.   Lupe wants to know who'll be there.

LUPE   Dime ¿quiénes vienen esta noche?
CHAVELA   Muchos.   Emilia, Elisa, José, Julián . . .
LUPE   No conozco a Julián.   ¿Quién es?
CHAVELA   Es un amigo de José.   Es un chico muy simpático.
LUPE   ¿Y Teresa Gutiérrez?
CHAVELA   No.   Tiene catarro.
LUPE   ¡Qué lástima!   Lo siento.   ¿Y Alfredo viene?
CHAVELA   Dice que sí.
LUPE   ¿De veras?   ¡Qué bien!   Es un muchacho muy diver-
tido.   Y también muy alegre.
CHAVELA   Bueno, entonces, hasta luego.
LUPE   Hasta pronto, Chavela.

8 At a club meeting, the boys are discussing prospective new members.

DIEGO   ¿Quién conoce a Miguel Guzmán?
BERNARDO   Yo lo conozco, pero no muy bien.   Dicen que es un
chico muy listo.   Pedro, tú lo conoces, ¿verdad?
PEDRO   Sí, es un buen muchacho.   Muy alegre y divertido.
Creo que es muy amigo de Eugenio.
DIEGO   Pero Eugenio no está . . .   Oh, ahí viene con Ernesto.
Hola, Eugenio, ¿cómo estás?

Family

1   "Do you have any brothers and sisters?"
2   "I have two brothers and a sister.
3   My sister is the oldest.
4   One of my brothers is older than I am.
5   The other is younger."

6   "How many brothers and sisters do *you* have?"
7   "I have only one brother.
8   His name is Emile.   He's twenty years old already."
9   "Oh yes!   Now I remember.
10   He's the one who's in the Navy."

11   "We have three cousins here in the city.
12   My cousin Charles has a little sister.
13   Her name is Adele.
14   She's only four years old.
15   My cousin Joe is an only child."

16   "Joe's parents are nice.
17   My uncle, especially, is very likeable.
18   His name is Boniface.
19   But we all call him Uncle Boni.
20   He's lots of fun."

Familia

1 —¿Tienes hermanos?

2 —Tengo dos hermanos y una hermana.

3 Mi hermana es la mayor.

4 Uno de mis hermanos es mayor que yo.

5 El otro es menor.

6 —¿Cuántos hermanos tienes tú?

7 —Tengo sólo un hermano.

8 Se llama Emilio. Tiene ya veinte años.

9 —¡Ah, sí! Ahora me acuerdo.

10 Es el que está en la Marina.

11 —Tenemos tres primos en esta ciudad.

12 Mi primo Carlos tiene una hermanita.

13 Se llama Adela.

14 Tiene solamente cuatro años.

15 Mi primo Pepe es hijo único.

16 —Los padres de Pepe son muy buenos.

17 Sobre todo, mi tío es muy simpático.

18 Su nombre es Bonifacio.

19 Pero todos lo llamamos tío "Boni".

20 Tiene mucha gracia.

Question-Answer Practice

1 ANITA   ¿Tienes hermanos?
  FRANCISCA Tengo dos hermanos y una hermana.

2 JULIA   ¿Es tu hermana menor que tú?
  ADELA No, es mayor.

3 ALFREDO ¿Son tus hermanos mayores que tú?
  ENRIQUE Uno es mayor, y el otro menor.

4 PABLO   ¿Cuántos años tiene tu hermanita?
  ALBERTO Tiene solamente cuatro años.

5 MARÍA ¿Es Pepe mayor que tú?
  ROSITA Sí, ya tiene veinte años.

6 ANA   Sabes quién es Emilio, ¿verdad?
  ROSALÍA Sí, es el que está en la Marina.

7 RAÚL   Tu primo Carlos, ¿tiene hermanas?
  ELISEO Sí, tiene una hermana.

8 GABRIEL ¿Cómo es tu tío Bonifacio?
  RICARDO Es muy simpático, y además tiene mucha gracia.

9 SRTA. VARGAS ¿Cuántos hermanos tiene usted?
  SRTA. GARCÍA Tengo sólo un hermano.

10 SRA. MARTÍNEZ ¿Tienen ustedes primos en esta ciudad?
  SRA. ESQUIVEL Sí, tenemos tres.

Pattern Practice

1 Tengo sólo --

un hermano	
una hermana	
un tío	
una tía	aunt
un abuelo	grandfather
una abuela	grandmother

--

2 ¿Cómo es --

el tío	
la tía	
el padre	father
la madre	mother
el sobrino	nephew
la sobrina	niece

-- de Carlos?

3 Los --

padres
hermanos
primos
tíos
sobrinos
abuelos

-- de Pepe son simpáticos.

4 Tenemos --

dos	2
tres	3
cuatro	4
cinco	5
seis	6
siete	7

-- primos en esta ciudad.

5 La hermana de Alicia tiene --

ocho	8
nueve	9
diez	10
once	11
doce	12
trece	13

-- años.

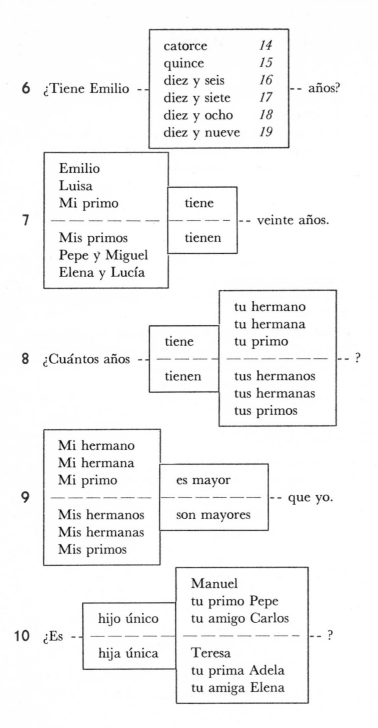

6 ¿Tiene Emilio —
catorce	*14*
quince	*15*
diez y seis	*16*
diez y siete	*17*
diez y ocho	*18*
diez y nueve	*19*
— años?

7

Emilio Luisa Mi primo	tiene
Mis primos Pepe y Miguel Elena y Lucía	tienen

— veinte años.

8 ¿Cuántos años —

	tu hermano tu hermana tu primo
tiene	
tienen	tus hermanos tus hermanas tus primos

— ?

9

Mi hermano Mi hermana Mi primo	es mayor
Mis hermanos Mis hermanas Mis primos	son mayores

— que yo.

10 ¿Es —

	Manuel tu primo Pepe tu amigo Carlos
hijo único	
hija única	Teresa tu prima Adela tu amiga Elena

— ?

Conversations

1 Alfredo and Julián wait their turn at the barber shop.

ALFREDO ¿Tienes hermanos, Julián?

JULIÁN Sí, tengo un hermano y una hermana. Mi hermana es la mayor. Mi hermano es dos años menor que yo. ¿Cuántos hermanos tienes tú?

ALFREDO Tengo sólo un hermano, y él está en la Marina.

JULIÁN ¡Ah, sí! Ahora me acuerdo. Se llama Emilio, ¿verdad? Es un chico muy listo.

2 Anita and Isabel talk about relatives on their way home from the movies.

ANITA Tú conoces a mi primo Carlos López, ¿verdad?

ISABEL Sí, lo conozco bastante bien. Es un muchacho muy divertido.

ANITA Su padre, mi tío Bonifacio, es hermano de mi mamá. Tiene mucha gracia. Lo llamamos tío "Boni". Mi tía Eulalia es muy simpática también.

ISABEL ¿Tiene Carlos hermanos?

ANITA No, es hijo único.

3 Paco and Alberto are on the bus.

PACO Tú eres Alberto, ¿verdad?

ALBERTO Sí, soy Alberto Rivas. Y tú ¿quién eres?

PACO Soy Paco Esquivel.

ALBERTO Conozco a un muchacho, Roberto Esquivel. ¿Es tu hermano?

PACO No tengo hermanos. Roberto es mi primo.

4 Emilia and Rosita are at the swimming pool.

EMILIA ¿Quién es ese muchacho que está con Anita Vargas? ¿Es su hermano?

ROSITA No, es su primo Raúl. Ella no tiene hermanos.

EMILIA Es bien parecido, ¿no? ¿Cuál es su apellido?

ROSITA Creo que se llama Raúl Martínez. No lo conozco bien, pero dicen que es muy alegre y divertido.

5 Eliseo and Gabriel are looking at a snapshot taken by Gabriel at a family picnic.

ELISEO   ¿Éste es tu padre?

GABRIEL No, no, mis padres son éstos.

ELISEO   Y estos señores ¿quiénes son?

GABRIEL Son mis tíos. Mi tío Alberto, el hermano mayor de mamá, es muy divertido.

ELISEO   ¿Y este muchacho?

GABRIEL Es su hijo, mi primo Ricardo, el que está en la Marina.

ELISEO   Y ¿quién es esa señorita?

GABRIEL María Guzmán, la novia de mi primo.

ELISEO   Es bonita, ¿no?

GABRIEL Sí, y también muy simpática.

6 Mrs. Guzmán and Mrs. Méndez are at a ladies' club meeting. They see Mrs. García coming across the room.

SRA. GUZMÁN ¿Quién es esa señora que viene ahí?

SRA. MÉNDEZ Es Ana García.

SRA. GUZMÁN Ah, sí. Ahora me acuerdo. Es amiga de mi hermana.

SRA. MÉNDEZ Buenas tardes, Ana. Ésta es mi amiga Carlota Guzmán.

SRA. GARCÍA Mucho gusto, señora.

SRA. GUZMÁN El gusto es mío. Creo que usted es amiga de mi hermana Julia.

SRA. GARCÍA Sí. Somos muy buenas amigas. ¿Cómo está?

SRA. GUZMÁN Ahora no está muy bien.

SRA. GARCÍA Lo siento. Ojalá que se mejore pronto.

SRA. GUZMÁN Gracias.

SRA. GARCÍA Y tu familia, Rosalía, ¿están bien todos?

SRA. MÉNDEZ Sí, todos muy bien, gracias.

SRA. GARCÍA Bueno, Rosalía, tengo que irme. Mucho gusto, señora Guzmán.

SRA. MÉNDEZ Adiós. Hasta la vista.

7 Mr. Sánchez and Mr. Martínez, who haven't seen each other in several years, meet at a convention.

SR. SÁNCHEZ   ¡Hola, Raúl!   ¿Cómo estás?

SR. MARTÍNEZ ¿Paco Sánchez?   ¡No lo creo!   Estoy bien, y tú ¿qué tal?

SR. SÁNCHEZ   Bien, gracias.   ¿Cómo están Teresa y los chicos?

SR. MARTÍNEZ Todos muy bien, gracias.   Emilio, el mayor, ya de veinte años, está en la Marina.   Alfredo, el menor, tiene catorce años.   Y tú ¿cuántos hijos tienes?

SR. SÁNCHEZ   Tenemos una hija solamente.   Francisca.   Pero la llamamos Paquita.   Tiene trece años.

SR. MARTÍNEZ Ah, sí.   Ahora me acuerdo.   Una chiquita muy bonita.   Bueno, Paco, lo siento, pero tengo que irme.

SR. SÁNCHEZ   Entonces, hasta la vista.   Recuerdos a todos.

Addresses

1 "Where do you live?"
2 "I live on Columbus Street.
3 Number 30.
4 And where do you live?"

5 "What's your telephone?"
6 "12 - 21 - 32."

7 "What street does your cousin live on?"
8 "He doesn't live in the city any longer.
9 He lives in a small town.
10 It's not far from here."

11 "We live on Royal Avenue.
12 Number 120.
13 You'll be welcome there anytime.
14 It's near the center of town.
15 Here's our telephone number . . .
16 15 - 90 - 04."

17 "What's the Vegas' address?"
18 "200 Buenavista Drive."
19 "They say it's a very pretty section."
20 "Yes, and it's near the park."

Señas

1 –¿Dónde vives?
2 –Vivo en la calle Colón . . .
3 Número treinta.
4 Y tú ¿dónde vives?

5 –¿Cuál es tu teléfono?
6 –Doce - veintiuno - treinta y dos.

7 –¿En qué calle vive tu primo?
8 –Ya no vive en la ciudad.
9 Vive en un pueblo pequeño.
10 No está muy lejos de aquí.

11 –Vivimos en la Avenida Real . . .
12 Número ciento veinte.
13 Allí tiene usted su casa.
14 Está muy cerca del centro.
15 Éste es nuestro teléfono . . .
16 Quince - noventa - cero cuatro.

17 –¿Cuál es la dirección de los Vegas?
18 –Paseo Buenavista, número doscientos.
19 –Dicen que es un barrio muy bonito.
20 –Sí, y queda cerca del parque.

Question-Answer Practice

1 JULIÁN ¿Dónde vives tú, Miguel?
  MIGUEL En la calle Colón, número 30.

2 ALBERTO ¿Cuál es tu teléfono?
  FELIPE 12 - 21 - 32.

3 JUAN ¿Sabes el número de Felipe?
  ENRIQUE Sí, es 15 - 90 - 04.

4 ANITA ¿Vive tu primo en la ciudad?
  MARIANA No, vive en un pueblo pequeño.

5 BELITA ¿Está el pueblo de tu primo lejos de aquí?
  MARGARITA No, está muy cerca.

6 SR. REYES Ustedes ¿dónde viven?
  SR. GUZMÁN En la Avenida Real, número 120.

7 SR. RAMOS ¿Está su casa lejos del centro?
  SR. MENDOZA No, no está muy lejos.

8 SRA. RIVAS ¿Sabe usted dónde viven los Vegas?
  SRA. MARTÍNEZ Sí. Paseo Buenavista, número 200.

9 SRA. SANTOS El Paseo Buenavista ¿está en el centro?
  SRA. GARCÍA No. Queda cerca del parque.

10 SRA. VELA ¿Conoce usted el barrio?
  SRA. JIMÉNEZ Sí. Es un barrio muy bonito.

Pattern Practice

1 Vivo en la calle Colón, número - -

treinta	*30*
cuarenta	*40*
cincuenta	*50*
sesenta	*60*
setenta	*70*
ochenta	*80*

- -·

2 El teléfono - -

de mis primos
de ese señor
de esa señorita
del señor Mendoza
de la señora Jiménez
de los señores García

- - es 15 - 90 - 04.

3 Mi primo no vive - -

en la ciudad
en el pueblo
en la calle Colón
en esa ciudad
en ese pueblo
en esa calle

- -·

4 El número de su casa es - -

ciento veinte	*120*
doscientos	*200*
doscientos uno	*201*
trescientos	*300*
trescientos diez	*310*
cuatrocientos	*400*

- -·

5 Vivimos en la Avenida Real, número - -

quinientos	*500*
seiscientos	*600*
setecientos	*700*
ochocientos	*800*
novecientos	*900*
mil	*1000*

- -·

6

| Nuestra casa |
| Nuestra calle |
| Nuestra ciudad |
| Nuestro barrio |
| Nuestro pueblo |
| Nuestro rancho *ranch* |

-- no está lejos de aquí.

7 Mi casa está cerca --

| de aquí |
| del centro |
| de la calle Colón |
| del Paseo Buenavista |
| de la Avenida Real |
| del Barrio San José |

--·

8 ¿Cuál es --

| el número de tu casa |
| el apellido de Carlos |
| el número del teléfono |
| el nombre de la avenida |
| la casa de los Vegas |
| el teléfono de tu primo |

-- ?

9 ¿Dónde --

| vive |
| viven |

| tu amigo Paco |
| el señor López |
| la señora Fernández |
| los Vegas |
| Pablo y Luisa |
| los señores Marín |

-- ?

10

| Felipe |
| Teresa |
| Miguel y yo |
| Anita y yo |
| Pepe y Julia |
| Celia y Belita |

| vive |
| vivimos |
| viven |

-- en la calle Colón.

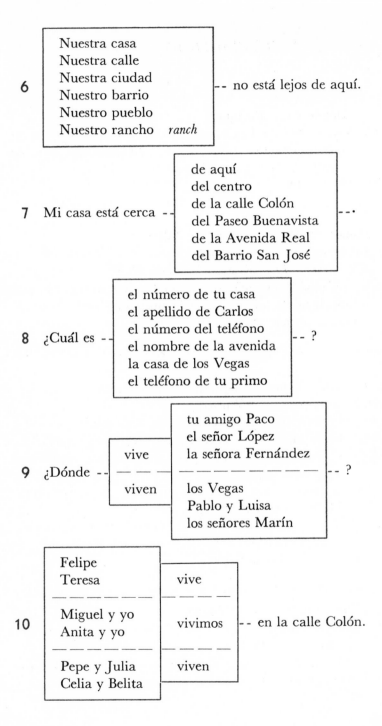

Conversations

1 Paco is talking with his new friend Enrique.

PACO   ¿Dónde vives, Enrique?

ENRIQUE Vivo en la calle Colón, número 30.   Y tú ¿dónde vives?

PACO   Paseo Buenavista, número 200.   No está muy lejos de aquí.   ¿Cuál es tu teléfono?

ENRIQUE 15 - 90 - 04.

2 Luisa and Anita plan a party.

LUISA   ¿Sabes el teléfono de tu primo Julián?

ANITA Julián ya no vive en la ciudad.

LUISA   ¿De veras?   ¡Qué lástima!   ¿Dónde vive?

ANITA En un pueblo pequeño que se llama Los Altos.   No está muy lejos de aquí.   No sé la dirección, pero creo que mamá la tiene.

3 Mr. Vela and Mr. Gómez, who used to be neighbors on Main Street, meet downtown.

SR. VELA   ¡Hola, Gómez!   ¿Qué tal?   ¿Cómo está?

SR. GÓMEZ Bien, gracias.   ¿Y usted?

SR. VELA   Bastante bien, gracias.   Y la familia, ¿bien?

SR. GÓMEZ Todos muy bien.   ¿Dónde viven ustedes ahora?

SR. VELA   Vivimos en la Avenida Real, número 120.   Allí tiene usted su casa.

SR. GÓMEZ Muchas gracias.   Conozco el barrio.   Es muy bonito.   Queda cerca del parque, ¿verdad?

SR. VELA   Sí, pero está bastante lejos del centro.   Bueno, Gómez, tengo que irme.   Recuerdos a la familia.

SR. GÓMEZ Gracias.   Hasta la vista.

4 Diego plans to take Miguel and a friend of his to the ball game the next day.

DIEGO   ¿Cuál es tu dirección, Miguel?

MIGUEL Avenida Real, 135.

DIEGO   Y tu amigo ¿dónde vive?

MIGUEL Juan vive en la calle Colón.   No está lejos de mi casa.

DIEGO   Bueno, chico, hasta la vista.

MIGUEL Adiós.

5   Pablo, a junior high school student, is the only witness to an automobile
accident.   A policeman questions him.

POLICÍA   ¿Cómo te llamas?
PABLO   Me llamo Pablo Gómez.
POLICÍA   ¿En qué calle vives?
PABLO   Vivo en la calle Colón.
POLICÍA   ¿Cuál es el número de tu casa?
PABLO   192.
POLICÍA   ¿Tienes teléfono?
PABLO   Sí.   El número es 22 - 17 - 08.

6   Banker Santos is considering a loan to Mr. García.

SR. SANTOS   Señor García, ¿vive usted cerca de aquí?
SR. GARCÍA   Vivo en un pueblo que se llama Los Altos, no muy
   lejos.
SR. SANTOS   ¿Tiene teléfono?
SR. GARCÍA   Sí, número 16.
SR. SANTOS   ¿Y su dirección?
SR. GARCÍA   Solamente el nombre.   Es un pueblo muy pequeño.

7   At a downtown store, Mrs. Jiménez meets Mrs. López, whom she used to
know while living in another city.

SRA. JIMÉNEZ   ¿Es usted Mariana López?
SRA. LÓPEZ   Sí, y usted Adela Jiménez, ¿verdad?   ¿Ahora vive
   usted aquí?
SRA. JIMÉNEZ   Sí, en la calle Colón, número 75.
SRA. LÓPEZ   ¡Qué bien!   Es un barrio muy bonito.   Y no queda
   muy lejos de nuestra casa.   Vivimos en la Avenida
   Real, número 67.   Y ¿cómo está la familia?
SRA. JIMÉNEZ   Todos bien, gracias.   El mayor está en la Marina.
   El menor tiene ya diez y seis años.
SRA. LÓPEZ   ¡Alfredo diez y seis años! . . .   Ah, pero ahora me
   acuerdo que es un año mayor que mi hija Mar-
   garita.   ¿Tienen ustedes ya el teléfono?
SRA. JIMÉNEZ   Sí.   El número es 32 - 56 - 80.
SRA. LÓPEZ   El nuestro es 43 - 92 - 05.   Bueno, señora, mucho
   gusto.   Recuerdos a todos.
SRA. JIMÉNEZ   Hasta la vista.

8 On the outskirts of the city, Mr. Rivas pulls in at a filling station and asks directions.

SR. RIVAS El barrio de Buenavista ¿está lejos?

EMPLEADO No, señor, está usted en el barrio.

SR. RIVAS ¿Sabe usted dónde queda la calle Colón?

EMPLEADO Sí, a dos calles de aquí.

SR. RIVAS Y ¿queda lejos el número 204?

EMPLEADO No, muy cerca . . .   Oh, es la casa del señor Mendoza.

SR. RIVAS ¿Usted lo conoce?   Es mi tío.

EMPLEADO Lo conozco muy bien.   Es un señor muy simpático.

9 Enrique is applying for an office job.   Miss Sánchez fills out his application.

SRTA. SÁNCHEZ ¿Cómo se llama usted?

ENRIQUE Enrique Fernández.

SRTA. SÁNCHEZ ¿Cuántos años tiene?

ENRIQUE Tengo quince años, señorita.

SRTA. SÁNCHEZ ¿Dónde vive?

ENRIQUE En el Paseo Buenavista, número 202.

SRTA. SÁNCHEZ ¿Tiene teléfono?

ENRIQUE Sí, el número es 16 - 82 - 05.

10 Mr. and Mrs. Salinas are looking for a house.   Realtor Ramos addresses Mr. Salinas.

SR. RAMOS ¿Su nombre?

SR. SALINAS José Salinas.

SR. RAMOS ¿Dirección?

SR. SALINAS Colón, 22.

SR. RAMOS ¿Y el teléfono?

SR. SALINAS 25 - 63 - 04.

SR. RAMOS ¿Cuántos son en su familia?

SR. SALINAS Cinco.   Los dos menores de seis y ocho años.

SR. RAMOS Tengo una casa muy buena, en un barrio muy bonito.

SR. SALINAS ¿Queda cerca del centro?

SR. RAMOS No muy lejos.   Está en el Paseo Buenavista, y bastante cerca del parque.

SRA. SALINAS ¿Oyes, Pepe?   ¿No es ése el barrio donde vive tu primo?   Las casas allí son muy lindas.

SR. SALINAS Sí, pero queda bastante lejos del centro.   ¡Qué lástima!

FIRST REVIEW

Reading and Conversational Practice

1

[Habla Felipe.]   Me llamo Felipe Salinas. Tengo diez y siete años. Vivo en la calle Colón, número 40. Nuestro teléfono es 13 - 22 - 43. Tengo solamente un hermano, de veintitrés años. Se llama Ricardo. Ahora está en la Marina.

1 ¿Cuántos años tiene Felipe?
2 ¿Dónde vive?
3 ¿Cuál es su teléfono?

4 ¿Cuántos hermanos tiene?
5 ¿Cómo se llama el hermano?
6 ¿Dónde está ahora su hermano?

2

[Habla Carlota.]   Tengo un hermano y dos hermanas. Mi hermano es el mayor. Una de mis hermanas es mayor que yo, y la otra menor. Vivimos en la Avenida Real. El número del teléfono es 16 - 91 - 05.

1 ¿Cuántos hermanos tiene Carlota?
2 ¿Es el hermano mayor o menor que ella?

3 ¿Son mayores que ella sus hermanas?
4 ¿Dónde viven?
5 ¿Cuál es el número del teléfono?

3

[Habla Paco.]   Allí está Julián. Somos buenos amigos. Es muy buen chico, y también muy listo. Vive en la calle Colón, cerca de mi casa. Su hermana Teresa es amiga de mi hermana. Es una muchacha muy linda y simpática. El hermanito menor, de cinco años, es un muchachito muy alegre.

1 ¿Cómo es Julián?
2 ¿Dónde vive?
3 ¿Cómo se llama su hermana?

4 ¿Cómo es Teresa?
5 ¿Cuántos años tiene el hermanito?

4

[Habla Lucía.]   Esa muchacha es Rosalía Méndez.   El muchacho que está con ella es Carlos García.   Dicen que son novios, pero yo creo que son amigos nada más.   Rosalía, además de bonita, es muy graciosa.   A Carlos no lo conozco bien, pero es muy amigo de Alfredo, y dice que es buen chico.

1   ¿Quién es esa muchacha?
2   ¿Quién es el muchacho que está con ella?

3   ¿Son novios Rosalía y Carlos?
4   ¿Cómo es ella?
5   ¿Conoce Lucía a Carlos?

5

[Habla Rafael.]   Allí viene mi tío Alberto con sus tres hijos.   El mayor, Enrique, tiene quince años; Diego tiene trece; y Adelita, solamente cuatro.   Viven cerca del centro, en la Avenida Real.   Son los únicos primos que tengo aquí.

1   ¿Cuántos hijos tiene el tío Alberto?
2   ¿Cómo se llama el mayor?

3   ¿Cuántos años tiene Diego?
4   ¿Cómo se llama la menor?
5   ¿Dónde viven?

6

[Habla Enrique.]   Mi primo Pepe es hijo único.   Es un chico alegre y divertido, y además bien parecido.   Ahora vive en un pueblo pequeño no lejos de aquí.   Sus padres son muy buenos.   Mi tío, sobre todo, es muy simpático.   Se llama Bonifacio, pero todos lo llamamos tío "Boni".

1   ¿Cómo se llama el primo?
2   ¿Tiene hermanos?
3   ¿Cómo es?

4   ¿Dónde vive?
5   ¿Cómo es el tío de Enrique?
6   ¿Cómo lo llaman?

7

[Habla Anita.]   Allí están los señores Vega.   Es una familia muy simpática.   María, la hija, es amiga mía.   Es bonita y graciosa.   Viven en el Paseo Buenavista, en una casita pequeña pero muy linda, cerca del parque.   Es un barrio muy bonito.

1   ¿Quiénes son esos señores?
2   ¿Cómo es la familia?
3   ¿Cómo se llama la hija?

4   ¿Dónde viven los Vegas?
5   ¿Cómo es la casa?
6   ¿Queda lejos del parque?

8

[Habla Isabel.]   La señora Jiménez vive en el barrio Buenavista, muy cerca de la casa de mis tíos.   Tiene una hija muy bonita de quince años, que se llama Francisca, pero la llaman Paquita.   Es una chica muy lista y graciosa.   Paquita y mis primas son buenas amigas.

1 ¿Dónde vive la señora Jiménez?
2 ¿Cuántos hijos tiene?
3 ¿Cómo se llama la hija?
4 ¿Cuántos años tiene?
5 ¿Cómo llaman a Francisca?
6 ¿Cómo es la chica?

Time of Day

1 "What time is it?"
2 "It's one o'clock."

3 "What time do you have?"
4 "According to my watch it's two o'clock."
5 "Then mine's slow."
6 "Well, hurry up; you're going to be late."

7 "What time do you leave home?"
8 "I leave around eight o'clock.
9   I take the bus at 8:15.
10 And we get here at 8:30."

11 "How near twelve is it?"
12 "It's just ten minutes of."
13 "Do you eat at twelve or one?"
14 "I eat at one, now."

15 "When do you want to go to the movies?"
16 "In the afternoon or evening, it doesn't matter.
17   How long does the picture last?"
18 "About two hours . . . more or less."
19 "Then we'll have time this afternoon."
20 "Well, we'll get together a little before four."

Horas del día

1 –¿Qué hora es?
2 –Es la una.

3 –¿Qué hora tienes?
4 –Según mi reloj, son las dos.
5 –Entonces el mío anda atrasado.
6 –Pues date prisa, que vas a llegar tarde.

7 –¿A qué hora sales de casa?
8 –Salgo a eso de las ocho.
9 Tomo el autobús a las ocho y cuarto.
10 Y llegamos aquí a las ocho y media.

11 –¿Cuánto falta para las doce?
12 –Faltan sólo diez minutos.
13 –¿Comes a las doce o a la una?
14 –Ahora como a la una.

15 –¿Cuándo quieres ir al cine?
16 –Por la tarde o por la noche, me es igual.
17 ¿Cuánto tiempo dura la película?
18 –Unas dos horas . . . más o menos.
19 –Entonces tenemos tiempo esta tarde.
20 –Pues nos veremos un poco antes de las cuatro.

Question-Answer Practice

1 PACO ¿Qué hora es?
   JOSÉ Es la una.

2 JULIÁN ¿Ya son las dos?
   ANTONIO Sí, según mi reloj, son las dos y cinco.

3 MARIO ¿No anda bien tu reloj?
   ÁNGEL No, anda atrasado.

4 ELISA ¿Quieres ir al cine por la tarde, o por la noche?
   CARMEN Me es igual.

5 SILVIA ¿Cuánto tiempo dura la película?
   MARGARITA Dos horas, más o menos.

6 SR. VARGAS ¿Qué hora tiene usted?
   SR. MÉNDEZ Tengo las cuatro.

7 SR. VEGA ¿A qué hora sale usted de casa?
   SR. JIMÉNEZ Salgo a eso de las ocho.

8 SR. GAMBOA ¿A qué hora toma usted el autobús?
   SR. CASTILLO A las ocho y cuarto.

9 SRA. VELA ¿Cuánto falta para las doce?
   SRA. GARCÍA Faltan sólo diez minutos.

10 SRA. PÉREZ ¿Comen ustedes a las doce, o a la una?
    SRA. MENDOZA Ahora comemos a la una.

Pattern Practice

1 Según mi reloj, --
es la una
es la una y media
son las dos y cuarto
son las dos y veinte   *2:20*
son las tres menos cuarto   *2:45*
son las tres menos diez   *2:50*
-- .

2 Entonces el mío anda --
bien
muy bien
atrasado
adelantado   *fast*
algo atrasado   *a little slow*
un poco adelantado   *a little fast*
-- .

3 Faltan quince minutos para --
la una
las doce
las cuatro
las once
las ocho
las seis
-- .

4 Tomás viene aquí --
a la una
a las dos
por la tarde
por la noche
por la mañana   *in the morning*
al mediodía   *at noon*
-- .

5 Nos veremos --
a la una y media
a eso de las tres
esta noche
esta mañana   *this morning*
más tarde   *later*
mañana por la mañana   *tomorrow morning*
-- .

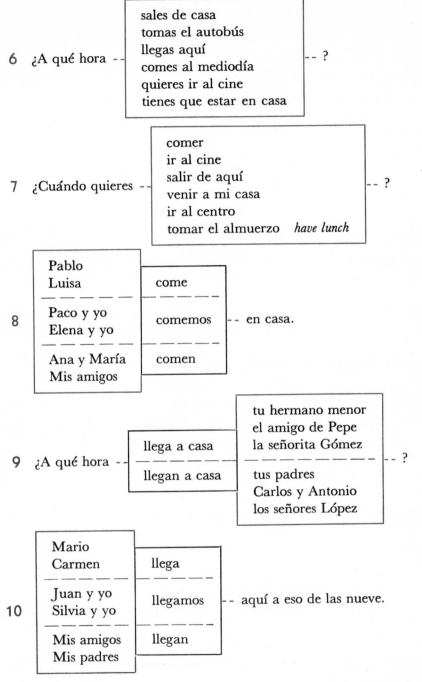

6 ¿A qué hora --
```
sales de casa
tomas el autobús
llegas aquí
comes al mediodía
quieres ir al cine
tienes que estar en casa
```
-- ?

7 ¿Cuándo quieres --
```
comer
ir al cine
salir de aquí
venir a mi casa
ir al centro
tomar el almuerzo   have lunch
```
-- ?

8
```
Pablo
Luisa          come
_____          _____
Paco y yo
Elena y yo     comemos   -- en casa.
_____          _____
Ana y María    comen
Mis amigos
```

9 ¿A qué hora --
```
                 tu hermano menor
                 el amigo de Pepe
llega a casa     la señorita Gómez
_____   _____
llegan a casa    tus padres
                 Carlos y Antonio
                 los señores López
```
-- ?

10
```
Mario
Carmen         llega
_____          _____
Juan y yo
Silvia y yo    llegamos   -- aquí a eso de las nueve.
_____          _____
Mis amigos     llegan
Mis padres
```

Conversations

1 Mario has a date with the dentist.

MARIO ¿Qué hora tienes?
JULIÁN Según mi reloj, son las dos.
MARIO Entonces el mío anda atrasado. Tengo las dos menos diez.
JULIÁN ¿A qué hora tienes que llegar?
MARIO A las dos y cuarto.
JULIÁN Pues date prisa, chico, que vas a llegar tarde.

2 Fellow secretaries Miss Gómez and Miss Vela discuss the problems of getting to work on time.

SRTA. GÓMEZ ¿Vives lejos del centro?
SRTA. VELA Sí, bastante lejos. Cerca del parque, en el barrio Colón.
SRTA. GÓMEZ ¿A qué hora tienes que salir de casa?
SRTA. VELA Salgo a eso de las ocho. Tomo el autobús a las ocho y cuarto, y llegamos aquí antes de las ocho y media. Y tú ¿a qué hora sales?
SRTA. GÓMEZ A las ocho y veinte. Vivo muy cerca.

3 Pablo and Enrique plan to go to the movies.

PABLO ¿Cuándo quieres ir al cine? ¿Por la tarde o por la noche?
ENRIQUE Me es igual. ¿Cuánto tiempo dura la película?
PABLO Unas dos horas . . . más o menos.
ENRIQUE Entonces no tenemos tiempo esta tarde. Ya son las cuatro.
PABLO Pues nos veremos a eso de las siete y media.

4 Paco and José are waiting for the bus.

PACO ¿Qué hora tienes?
JOSÉ Según mi reloj, son las ocho y diez.
PACO Y ¿dónde está Mario? Todas las mañanas llega antes de las ocho.
JOSÉ El autobús sale de aquí en dos minutos. Él va a llegar tarde.
PACO Mira, ahí viene. Date prisa, Mario, que ya sale el autobús.

5 Late again, Mr. Gamboa is met at the office by his boss, Mr. Castillo.

SR. GAMBOA   Buenos días, señor Castillo.
SR. CASTILLO   Señor Gamboa, ¿sabe usted qué hora es?
SR. GAMBOA   Sí, señor.   Según mi reloj, son las ocho.
SR. CASTILLO   Señor Gamboa, por el mío, las ocho y veinte.

6 Ángel is to meet his cousins.   He has been killing time over a soda with Ramón.

ÁNGEL   Dime ¿qué hora tienes?   Mi reloj anda atrasado.
RAMÓN   Son las cuatro menos cinco.
ÁNGEL   Entonces tengo que irme.
RAMÓN   Pues ¿a qué hora llegan tus primos?
ÁNGEL   El autobús llega a las cuatro y veinte.
RAMÓN   Pues date prisa, ya nos veremos más tarde.

7 Silvia and Carmen meet in the hall after the lecture.

SILVIA   ¿Quieres ir al cine esta tarde?
CARMEN   No sé.   ¿Cuánto tiempo dura la película?
SILVIA   Unas dos horas.   Dicen que es muy graciosa.
CARMEN   Pues, sí.   Creo que tengo bastante tiempo.
SILVIA   ¿A qué hora tienes que estar en casa?
CARMEN   A eso de las siete.
SILVIA   Entonces, tienes mucho tiempo.   Según mi reloj, son las cuatro menos diez.
CARMEN   ¡Ah!, pero ahora me acuerdo que esta noche mis tíos vienen a comer, y tengo que estar en casa un poco antes de las seis y media.

8 The jet from Los Angeles is coming in at Idlewild.   Alberto calls the stewardess, Miss Vargas.

ALBERTO   ¿Qué hora es, señorita?
SRTA. VARGAS   Son las diez.
ALBERTO   ¡Las diez!   Yo tengo las siete.
SRTA. VARGAS   Sí. Su reloj anda bien.   Son las siete en California.
ALBERTO   Ah, sí. Ahora me acuerdo. Muchas gracias, señorita.

9 After an afternoon's visit with her friend Mrs. Pérez, Mrs. Méndez gets ready to go back home and wait for the family.

SRA. MÉNDEZ Lo siento, pero tengo que irme. Ya falta poco para las cinco.

SRA. PÉREZ ¿A qué hora tienes que estar en casa?

SRA. MÉNDEZ Antonio no llega hasta las seis. Pero los chicos un día llegan a una hora, y otros días a otra. Esta tarde no sé. Carmen está en el cine con unas amigas, y Paco no sé dónde está.

SRA. PÉREZ En mi familia, es igual. Elisa llega a una hora, y Felipe a otra.

SRA. MÉNDEZ Pues, hasta luego. Recuerdos a todos.

SRA. PÉREZ Adiós, hasta la vista.

Topics for Reports

MI CASA

¿Vives lejos de aquí?
¿En qué calle vives?
¿Cuál es el número de tu casa?
¿Cuál es el número del teléfono?

Mi casa está cerca del parque * * * * * *
* *
* *
* *
* *

SALGO DE CASA

¿En qué calle vives?
¿A qué hora sales de casa?
¿A qué hora llegas aquí?
¿Llegas a tiempo todos los días?

Mi casa no está muy lejos * * * * * * * * *
* *
* *
* *
* *

LLEGAMOS

¿A qué hora llegas a casa?
Y tus hermanos, ¿a qué hora llegan?
¿A qué hora llega tu padre?
¿A qué hora comen?

Salgo de aquí a eso de las cuatro * * * * *
* *
* *
* *
* *

EL CINE

¿Crees que tenemos tiempo esta tarde?
¿A qué hora tienes que estar en casa?
¿Cuánto tiempo dura la película?
¿A qué hora nos veremos?

Quiero ir al cine * * * * * * * * * * * * * *
* *
* *
* *
* *

MI RELOJ

¿Cómo anda tu reloj?
¿Qué hora es?
¿Qué hora tienes tú?
¿Anda atrasado o adelantado tu reloj?

Mi reloj no es muy bueno * * * * * * * * *
* *
* *
* *
* *

Meals

1 "Shall we sit here?"
2 "Yes.   This restaurant really looks good!"
3 "Boy, am I hungry!"

4 "I want a veal steak."
5 "I'm sorry.   There isn't any more.
6   But the roast lamb is delicious."
7 "All right.   Bring me some, please."
8 "And chicken and rice for me."

9 "Don't you ever eat in the cafeteria?"
10 "No, because the food's always bad."
11 "You're right; it's awful!
12   I don't like the vegetables at all."
13 "Neither do I."

14 "Please pass me the salt."
15 "Here it is, and the pepper, too."
16 "Say!   I haven't got a knife."
17 "Take mine.   I don't need it."

18 "Would you like anything else?"
19 "The bill, please."
20 "Yes, sir; just a moment.   Here it is."

Comidas

1 —¿Nos sentamos aquí?
2 —Sí.   ¡Qué bien está este restaurante!
3 —Chico, ¡qué hambre tengo!

4 —Yo quiero un filete de ternera.
5 —Lo siento.   Ya no hay.
6   Pero el cordero asado está delicioso.
7 —Muy bien.   Tráigamelo, por favor.
8 —Y para mí el arroz con pollo.

9 —¿Nunca comes en la cafetería?
10 —No, porque la comida siempre es mala.
11 —Tienes razón.   ¡Malísima!
12   No me gustan nada las legumbres.
13 —Ni a mí tampoco.

14 —Por favor, pásame la sal.
15 —Aquí está, y también la pimienta.
16 —¡Hombre!   Me falta el cuchillo.
17 —Toma el mío.   No lo necesito.

18 —¿Desean algo más?
19 —La cuenta, por favor.
20 —Sí, señor.   Un momento.   Aquí la tiene.

Question-Answer Practice

1 CAMARERO ¿Qué desean ustedes?
   FELISA   Yo quiero un filete de ternera.

2 DAVID   ¿Hay cordero asado?
   CAMARERO Lo siento. Ya no hay.

3 GLORIA ¿Cómo está el arroz con pollo?
   ELISA   Está delicioso.

4 MARIO   ¿No te gusta comer en la cafetería?
   ANDRÉS No, la comida siempre es mala.

5 JOSÉ   ¿Es bueno este restaurante?
   EDUARDO Sí, la comida siempre es buena.

6 RAQUEL ¿Qué quieres?
   EUFEMIA Pásame la sal, por favor.

7 DAVID   ¿Te falta algo?
   DANIEL Sí, me falta el cuchillo.

8 CAMARERO ¿Desea usted un filete de ternera?
   SRA. ÁVILA Sí, tráigamelo, por favor.

9 CAMARERO ¿Qué desea usted, señor?
   SR. CUEVAS Para mí el arroz con pollo.

10 CAMARERO   ¿Desean algo más?
   SR. CÁRDENAS La cuenta, por favor.

Pattern Practice

1 Me gusta --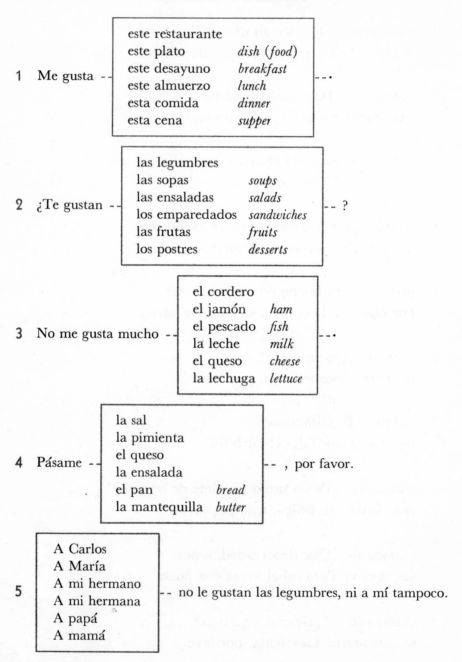

este restaurante
este plato   *dish (food)*
este desayuno   *breakfast*
este almuerzo   *lunch*
esta comida   *dinner*
esta cena   *supper*

-- .

2 ¿Te gustan --

las legumbres
las sopas   *soups*
las ensaladas   *salads*
los emparedados   *sandwiches*
las frutas   *fruits*
los postres   *desserts*

-- ?

3 No me gusta mucho --

el cordero
el jamón   *ham*
el pescado   *fish*
la leche   *milk*
el queso   *cheese*
la lechuga   *lettuce*

-- .

4 Pásame --

la sal
la pimienta
el queso
la ensalada
el pan   *bread*
la mantequilla   *butter*

-- , por favor.

5

A Carlos
A María
A mi hermano
A mi hermana
A papá
A mamá

-- no le gustan las legumbres, ni a mí tampoco.

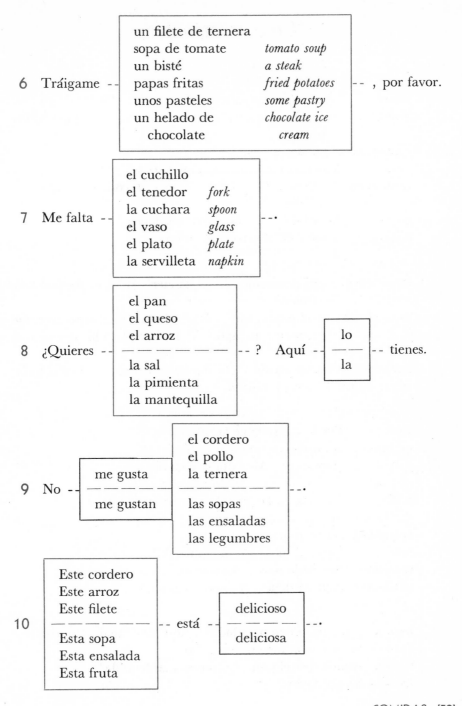

6 Tráigame --
un filete de ternera	
sopa de tomate	*tomato soup*
un bisté	*a steak*
papas fritas	*fried potatoes*
unos pasteles	*some pastry*
un helado de chocolate	*chocolate ice cream*
-- , por favor.

7 Me falta --
el cuchillo	
el tenedor	*fork*
la cuchara	*spoon*
el vaso	*glass*
el plato	*plate*
la servilleta	*napkin*
-- .

8 ¿Quieres --

el pan
el queso
el arroz
—— —— ——
la sal
la pimienta
la mantequilla

-- ? Aquí --

lo
——
la

-- tienes.

9 No --

me gusta	el cordero
	el pollo
	la ternera
—— —— ——	—— —— ——
me gustan	las sopas
	las ensaladas
	las legumbres

-- .

10

Este cordero
Este arroz
Este filete
—— —— ——
Esta sopa
Esta ensalada
Esta fruta

-- está --

delicioso
—— —— ——
deliciosa

-- .

Conversations

1 Paco and Pablo enter a restaurant.

PACO   ¿Nos sentamos aquí?

PABLO   Sí. ¡Qué bien está este restaurante! ¡Y qué hambre tengo!

CAMARERO   ¿Qué desean ustedes?

PACO   Yo quiero el bisté con papas fritas.

CAMARERO   Lo siento, ya no hay. Pero el cordero asado está delicioso.

PACO   Muy bien. Tráigamelo, por favor.

PABLO   Y para mí el arroz con pollo.

2 Miss López and Miss Ávila try to decide where to have lunch.

SRTA. LÓPEZ   ¿Quieres comer en la cafetería o en el Restaurante Colón?

SRTA. ÁVILA   En el restaurante. No está muy cerca, pero creo que tenemos tiempo. Y la comida allí siempre es buena.

SRTA. LÓPEZ   Tienes razón. No me gusta ir nunca a la cafetería.

SRTA. ÁVILA   Ni a mí tampoco.

3 José and Eduardo are having dinner in a restaurant.

JOSÉ   Por favor, pásame la sal.

EDUARDO   Aquí está, y también la pimienta.

JOSÉ   ¡Hombre! Me falta el cuchillo.

EDUARDO   Toma el mío. No lo necesito.

JOSÉ   Gracias. ¿Te gusta ese arroz con pollo?

EDUARDO   Sí. Está muy bueno.

CAMARERO   ¿Desean algo más?

JOSÉ   Para mí, no. ¿Y tú, Eduardo?

EDUARDO   No, nada más. Solamente la cuenta, por favor.

CAMARERO   Aquí la tiene. Y muchas gracias.

4 Ramón has brought Andrés by the house for a snack after the game.

RAMÓN   ¿Quieres un emparedado? Aquí hay jamón y queso.

ANDRÉS   Sí, el jamón me gusta mucho.

RAMÓN   Aquí tienes el pan. ¿Quieres mantequilla?

ANDRÉS   Sí, por favor.

RAMÓN ¿Te gusta la lechuga?

ANDRÉS No, gracias.

RAMÓN ¿Quieres un vaso de leche?

ANDRÉS Sí, me gusta mucho.

RAMÓN Y mira, aquí también hay un pastel. ¡Qué hambre tengo!

5 Felisa and her sister Gloria, who is just home from college, are setting the table for supper.

FELISA Esta noche somos solamente cuatro: papá, mamá, tú y yo.

GLORIA Pues ¿Mario y David?

FELISA Mario come en casa de un amigo, y David dice que no quiere comer esta noche porque tiene catarro.

GLORIA ¿David no va a comer? No lo creo. Siempre tiene hambre. Pues aquí están los cuchillos, los tenedores y las cucharas . . .

FELISA Y aquí tienes los platos. Faltan sólo las servilletas.

GLORIA No, ahora falta un plato más, porque aquí viene David.

6 Mr. Cárdenas, who has been held up on an important deal at the office, gets to the restaurant late for lunch.

CAMARERO ¿Qué desea usted, señor?

SR. CÁRDENAS Un filete de ternera, por favor, con ensalada y legumbres.

CAMARERO Lo siento, señor, ya no hay. Pero el cordero asado está delicioso.

SR. CÁRDENAS No, gracias. ¿Hay arroz con pollo?

CAMARERO Lo siento, tampoco hay. Pero el cordero . . .

SR. CÁRDENAS ¿Hay jamón?

CAMARERO Ya no, señor.

SR. CÁRDENAS Y ¿pescado?

CAMARERO No, señor. Ya no hay más que cordero. Pero está delicioso.

SR. CÁRDENAS Entonces, tráigamelo.

CAMARERO Muy bien, señor, en un momento.

SR. CÁRDENAS Tiene gracia. Esta noche también más cordero en casa.

7 Mario and Daniel have gone downtown to see a movie. They plan to have a quick supper before the show.

MARIO ¿Comemos en la cafetería, o en el Restaurante Salazar?

DANIEL No me gusta mucho la comida en la cafetería.

MARIO Ni a mí tampoco. Pero no tenemos mucho tiempo.

DANIEL Tienes razón, ya faltan sólo diez minutos para las siete. Pues ¿comemos allí? La comida no es muy buena, pero ya tengo hambre.

MARIO Yo también.

8 Mr. Méndez and Mr. Cuevas work in the same office building. They usually take the bus home together in the evening.

SR. MÉNDEZ ¿Vas a tomar el autobús de las cinco?

SR. CUEVAS No, esta noche tengo que comer en el restaurante. Julia no está en casa.

SR. MÉNDEZ ¿Dónde está?

SR. CUEVAS En su pueblo. Los padres no están muy bien.

SR. MÉNDEZ ¿De veras? Lo siento. Ojalá que se mejoren pronto. Entonces, ¿quieres venir a comer a mi casa?

SR. CUEVAS Yo con mucho gusto. No me gustan los restaurantes. Y para Elisa ¿está bien?

SR. MÉNDEZ Hombre, ya sabes que ella siempre tiene gusto en verte.

SR. CUEVAS Muy bien. Nos veremos a las cinco.

9 Raquel and Eufemia, two hungry women on a diet, enter a restaurant.

RAQUEL ¡Qué bonito es este restaurante!

EUFEMIA ¿Nos sentamos aquí?

RAQUEL Muy bien. Tú, Eufemia, ¿qué vas a tomar?

EUFEMIA Aquí tienen unos platos muy buenos, pero para el almuerzo siempre tomo una ensalada. Por la mañana es cuando como más.

RAQUEL Mira con qué gusto comen esos muchachos el arroz con pollo.

EUFEMIA Sí. Ese plato es muy bueno aquí.

CAMARERO ¿Qué van a tomar las señoras? El plato del día es arroz con pollo. Está delicioso.

EUFEMIA No, para mí una ensalada de tomate.

RAQUEL Y para mí un plato de legumbres.

CAMARERO ¿Algo más? Tenemos postres muy buenos, sobre todo los pasteles.

EUFEMIA Pues . . . tráigame un pastel de chocolate.

RAQUEL Y para mí otro, por favor.

Topics for Reports

EN EL RESTAURANTE

¿A qué restaurante van?
¿Dónde está?
¿Cómo es la comida allí?
¿Qué quieres comer?

Vamos a comer en un restaurante esta noche * * * * * * * * * * * * *
* *
* *
* *
* *

EN LA CAFETERÍA

¿A qué hora comes?
¿Comen allí muchos de tus amigos?
¿Qué tal es la comida?
¿Te gustan las legumbres?
¿Te gustan más los postres?

Al mediodía como en la cafetería * *
* *
* *
* *
* *
* *

AL CINE

¿Qué película van a ver?
¿A qué hora van a salir de casa?
¿Toman el autobús para ir al centro?
¿Cuánto tiempo dura la película?

Esta noche vamos a un cine del centro * * * * * * * * * * * * * * *
* *
* *
* *
* *

UN PUEBLO PEQUEÑO

¿Cómo se llama tu amigo?
¿Dónde vive?
¿Está el pueblo lejos de aquí?
¿Cómo es?
¿Te gustan los pueblos más que las
*   ciudades?*

Un amigo mío vive en un pueblo pequeño * * * * * * * * * * * * * *
* *
* *
* *
* *
* *

EL ALMUERZO

¿A qué hora comes?
¿Comes en la cafetería?
¿Qué te gusta comer?
¿Te gustan los emparedados?

Siempre tengo hambre al mediodía
* *
* *
* *
* *

Activities

1   "Do you play in the orchestra?"
2   "No, but I play in the band.
3   We always rehearse on Mondays.
4   We are going to give a concert on Thursday."

5   "What day is the dance?"
6   "This next Saturday.
7   It begins at nine, as usual, doesn't it?"
8   "Yes.   Who are you going with?"
9   "I'm going with Johnny."

10   "Do you play tennis?"
11   "Yes, but I don't play very well.
12   I like bowling better."
13   "Would you like to play a game?
14   We bowl almost every week.
15   Why don't you come with us this afternoon?"

16   "Are you going to the game Friday?"
17   "Of course!
18   It's going to be very good."
19   "This time we're going to beat them."
20   "Sure.   We've got the best team."

Actividades

1 –¿Tocas en la orquesta?
2 –No, pero toco en la banda.
3 Siempre ensayamos los lunes.
4 Vamos a dar un concierto el jueves.

5 –¿Qué día es el baile?
6 –El sábado que viene.
7 Empieza a las nueve como siempre, ¿verdad?
8 –Sí.   ¿Con quién vas a ir?
9 –Voy con Juanito.

10 –¿Juegas al tenis?
11 –Sí, pero no juego muy bien.
12 Me gusta más jugar al boliche.
13 –¿Te gustaría jugar un partido?
14 Jugamos casi todas las semanas.
15 ¿Por qué no vienes con nosotros esta tarde?

16 –¿Vas al partido del viernes?
17 –¡Claro que sí!
18 Va a ser muy bueno.
19 –Esta vez les vamos a ganar.
20 –Seguro.   Tenemos el mejor equipo.

Question-Answer Practice

1 LUISA ¿Con quién vas al baile?
  GLORIA Voy con Juanito.

2 SARA ¿Qué día es el baile?
  INÉS El sábado que viene.

3 JUAN ¿Juegas al boliche?
  DAVID Sí, pero no juego bien.

4 ANDRÉS ¿Vas al partido del viernes?
  MIGUEL Claro que sí.

5 TOMÁS Esta vez les vamos a ganar, ¿verdad?
  ROLANDO Seguro. Tenemos el mejor equipo.

6 SR. MARÍN ¿Toca usted en la orquesta, o en la banda?
  SR. JIMÉNEZ Toco en la orquesta.

7 SR. MARTÍNEZ ¿Qué día ensayan ustedes?
  SR. CÁRDENAS Siempre ensayamos los lunes.

8 SRA. HINOJOSA ¿Juega usted al tenis?
  SRA. RAMÍREZ Sí, pero no juego muy bien.

9 SR. VARGAS ¿Cuándo juegan ustedes al boliche?
  SR. SÁNCHEZ Jugamos casi todas las semanas.

10 SR. REYES ¿Van ustedes al partido del sábado?
   SR. CISNEROS Sí. Va a ser muy bueno.

Pattern Practice

1 Me gusta -- | el tenis
el fútbol
el béisbol
ese equipo
esa banda
ese deporte *sport* | -- .

2 ¿Te gustaría jugar al boliche -- | con nosotros
conmigo *with me*
con él
con ella
con ellos
con ellas | -- ?

3 Vamos a dar un concierto -- | el lunes *Monday*
el martes *Tuesday*
el miércoles *Wednesday*
el jueves *Thursday*
el viernes *Friday*
el sábado *Saturday*
el domingo *Sunday* | -- .

4 Siempre ensayamos -- | los lunes
los martes
los miércoles
los jueves
los viernes
los sábados | -- .

5 | Jugamos
Ensayamos
Vamos al cine
Comemos aquí
Practicamos *We practice*
Tenemos ensayo *We have a rehearsal* | -- casi todas las semanas.

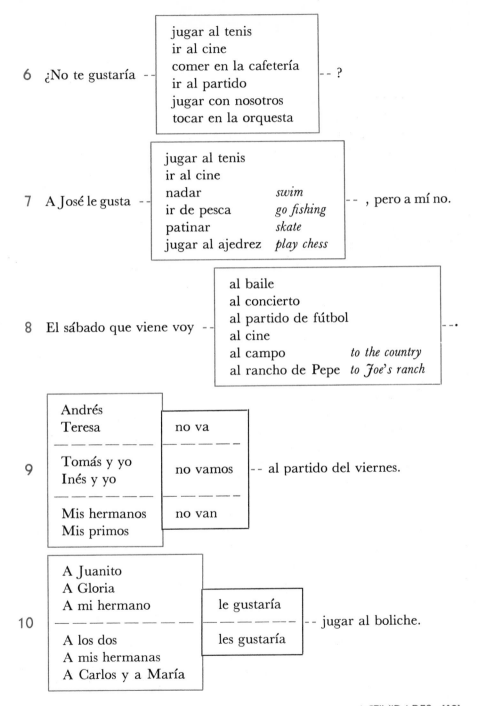

6 ¿No te gustaría

jugar al tenis
ir al cine
comer en la cafetería
ir al partido
jugar con nosotros
tocar en la orquesta

?

7 A José le gusta

jugar al tenis
ir al cine
nadar   *swim*
ir de pesca   *go fishing*
patinar   *skate*
jugar al ajedrez *play chess*

, pero a mí no.

8 El sábado que viene voy

al baile
al concierto
al partido de fútbol
al cine
al campo   *to the country*
al rancho de Pepe *to Joe's ranch*

.

9

Andrés
Teresa

no va

Tomás y yo
Inés y yo

no vamos

Mis hermanos
Mis primos

no van

al partido del viernes.

10

A Juanito
A Gloria
A mi hermano

le gustaría

A los dos
A mis hermanas
A Carlos y a María

les gustaría

jugar al boliche.

Conversations

1 Anita meets Juan at the music store.

ANITA Hola, Juan. ¿Tocas tú en la banda?
JUAN No, pero toco en la orquesta.
ANITA ¡Qué bueno! ¿Tienes que ensayar mucho?
JUAN Siempre ensayamos los lunes, pero esta semana tenemos que ensayar más. Vamos a dar un concierto el viernes.

2 Luisa and Gloria are on the phone.

LUISA ¿Qué día es el baile?
GLORIA El sábado que viene. ¿Vas a ir?
LUISA No estoy segura. Y tú ¿con quién vas?
GLORIA Voy con Juanito.
LUISA ¿Empieza a las ocho como siempre?
GLORIA Sí, pero a mí me gusta ir un poco más tarde . . . a eso de las nueve.

3 Pablo and David are discussing their favorite sports.

PABLO ¿Te gusta jugar al boliche?
DAVID No mucho. No juego muy bien. Me gusta más el tenis.
PABLO Pues a mí también me gusta el tenis. ¿Por qué no jugamos el sábado por la mañana?
DAVID Muy bien. ¿A eso de las nueve y media?

4 Luis and Paco are walking home together.

LUIS ¿Vas al partido del viernes?
PACO ¡Claro que sí! Va a ser muy bueno.
LUIS Esta vez les vamos a ganar.
PACO Seguro. Tenemos el mejor equipo.

5 Andrés wants Miguel to go bowling. There are complications.

ANDRÉS Tomás y yo vamos a jugar al boliche esta tarde. ¿No quieres jugar con nosotros?
MIGUEL Sí, me gustaría, pero esta tarde tenemos que ensayar.

ANDRÉS Y ¿cuánto tiempo dura el ensayo?

MIGUEL Casi dos horas. Y tengo que estar en casa a las seis.

ANDRÉS ¡Qué lástima, chico! ¿Ensayas todas las tardes?

MIGUEL Esta semana sí. Vamos a dar un concierto el viernes, y necesitamos practicar mucho.

6 Adela and Sara are on the phone making plans for the dance.

ADELA Dime ¿conoces a Pablo Marín?

SARA ¿El primo de Anita? Sí, lo conozco.

ADELA Pues voy con él al baile.

SARA ¡Qué bueno, chica! Es muy alegre y divertido.

ADELA Y tú ¿vas con David?

SARA Sí, y con su hermano y la novia. Tú conoces a Belita, ¿verdad?

ADELA Sí. Es una muchacha muy linda. Creo que todos van a este baile. ¡Va a tocar la orquesta de Alberto Reyes!

SARA Dicen que va a ser el mejor baile del año. Pues, nos veremos el sábado.

7 Mario, the captain of the football team, is being interviewed by a reporter for a feature story in the local paper.

PERIODISTA ¿Dónde vives, Mario?

MARIO Vivo en la calle Colón, número 20.

PERIODISTA ¿Cómo se llama tu padre?

MARIO Se llama Roberto Jiménez.

PERIODISTA ¿Cuántos años tienes?

MARIO Tengo diez y siete.

PERIODISTA ¿Tienes hermanos?

MARIO Sí, tengo dos hermanos y una hermana. Mi hermana es mayor que yo, y mis hermanos son menores.

PERIODISTA Además del fútbol, ¿cuáles son los deportes que te gustan?

MARIO Juego al tenis, pero no muy bien. También me gusta mucho jugar al boliche.

PERIODISTA ¿Quién crees que va a ganar el partido?

MARIO Nosotros, claro está. El equipo de los Leones es bueno, pero el nuestro es mucho mejor. De seguro que les vamos a ganar.

8 Mrs. Sánchez and Mrs. Vargas meet on the street.

SRA. SÁNCHEZ Buenas tardes, señora Vargas. ¿Cómo está usted?

SRA. VARGAS No muy bien. Tengo un poco de catarro. ¿Y usted?

SRA. SÁNCHEZ Estoy bien, gracias. ¿Es verdad que su hijo Roberto viene esta semana?

SRA. VARGAS Sí, llega esta noche a eso de las ocho. Va a estar aquí hasta el lunes.

SRA. SÁNCHEZ ¡Qué bueno! ¿Le gusta la Marina?

SRA. VARGAS Sí. Ya tiene muchos amigos allí.

SRA. SÁNCHEZ Pues ¡qué bien! Muchos recuerdos a todos. Y usted, que se mejore del catarro.

SRA. VARGAS Gracias. Hasta la vista.

9 Another party is being planned. Inés and Julia are on the phone.

INÉS ¿Tienes el teléfono de Teresita?

JULIA No, pero tengo su dirección. Vive en el Paseo Buenavista, número 28.

INÉS Tomás vive en la Avenida Real, ¿verdad?

JULIA No, ya no vive en la ciudad. Vive con su tío en un pueblo pequeño cerca de aquí.

INÉS ¡Qué lástima! Porque es un muchacho muy simpático.

JULIA Y muy bien parecido.

INÉS ¿Sabes su dirección?

JULIA Sólo sé que vive en Los Altos. No me acuerdo del nombre de la calle. Pero creo que Luisa sabe cuál es el apellido del tío.

10 Alicia was due home from the dance before midnight.

ALICIA Mira, ya está allí mi padre. ¿Qué hora es?

ROLANDO No es tarde. Son las doce menos cuarto.

ALICIA Buenas noches, papá.

SR. CISNEROS ¿Buenas noches? Hijita, ya son "buenos días".

ALICIA Pues ¿qué hora es?

ROLANDO Según mi reloj, faltan diez minutos para las doce.

SR. CISNEROS Entonces, su reloj anda atrasado. Son las doce y veintidós minutos.

ROLANDO Lo siento mucho, señor. Bueno, Alicia, hasta la vista. Buenas noches, señor Cisneros.

11 Mrs. Hinojosa and Mrs. Ramírez talk about their favorite subjects as they go downtown on the bus.

SRA. HINOJOSA Buenos días, señora Ramírez.

SRA. RAMÍREZ Buenos días. ¿Va usted al centro?

SRA. HINOJOSA No, sólo hasta la calle Colón.

SRA. RAMÍREZ ¿Cómo está su familia?

SRA. HINOJOSA Bastante bien, gracias. ¿Sabe que Anastasio va a dar un concierto el sábado?

SRA. RAMÍREZ Sí, ¡qué bien!

SRA. HINOJOSA Practica todas las mañanas dos horas, de seis a ocho.

SRA. RAMÍREZ Ah, ¿sí?

SRA. HINOJOSA Por la tarde ensaya en la banda o en la orquesta. Todos dicen que es listísimo.

SRA. RAMÍREZ Pues a mi hijo le gustan más los deportes. Juega en el equipo de fútbol, y es uno de los mejores. También juega muy bien al tenis y al béisbol.

SRA. HINOJOSA ¡Qué bueno! . . . Aquí está ya la calle Colón. Adiós, hasta la vista.

SRA. RAMÍREZ Adiós.

Topics for Reports

EL TENIS

¿Juegas bien?
¿Juegas todas las semanas?
¿Con quién juegas?
¿Quién gana?

Me gusta mucho el tenis * * * * * *
* * * * * * * * * * * * * * * * * * *
* * * * * * * * * * * * * * * * * * *
* * * * * * * * * * * * * * * * * * *
* * * * * * * * * * * * * * * * * * *

EL PARTIDO

¿Crees que va a ser bueno?
¿Qué equipos van a jugar?
¿Cómo es el nuestro?
¿Crees que vamos a ganar?

Voy al partido esta semana * * * * *
* * * * * * * * * * * * * * * * * * *
* * * * * * * * * * * * * * * * * * *
* * * * * * * * * * * * * * * * * * *
* * * * * * * * * * * * * * * * * * *

LA BANDA

¿Cuántos muchachos hay en la banda?
¿Cómo tocan?
¿Tocan en todos los partidos?
¿Cuándo ensayan?

Nuestra banda es muy buena * * * *
* * * * * * * * * * * * * * * * * * *
* * * * * * * * * * * * * * * * * * *
* * * * * * * * * * * * * * * * * * *
* * * * * * * * * * * * * * * * * * *

EL BAILE

¿Crees que va a ser bueno?
¿Con quién vas?
¿A qué hora empieza?
¿Te gustan mucho los bailes?

Voy a un baile el sábado * * * * * *
* * * * * * * * * * * * * * * * * * *
* * * * * * * * * * * * * * * * * * *
* * * * * * * * * * * * * * * * * * *
* * * * * * * * * * * * * * * * * * *

EL FÚTBOL

¿Juega en el equipo?
¿Va a jugar en el partido de esta semana?
¿Cómo juega nuestro equipo?
¿Vamos a ganar el partido?

A mi hermano le gusta mucho el
fútbol * * * * * * * * * * * * * *
* * * * * * * * * * * * * * * * * * *
* * * * * * * * * * * * * * * * * * *
* * * * * * * * * * * * * * * * * * *
* * * * * * * * * * * * * * * * * * *

Entertainment

1 "What do you plan to do tonight?"
2 "Nothing in particular.
3   Listen to the radio . . .
4   And study a little."
5 "Well, come on over to my house . . .
6   And we'll study together."

7 "What station shall we get?"
8 "Whichever you want."
9 "Do you like station ABC?"
10 "No, they're always giving the news.
11   A different one, that has more music."
12 "Here's one you'll like."

13 "What book are you reading?"
14 "It's a story about outlaws."
15 "Do you have much further to go?"
16 "No, I'm finishing it now."

17 "Do you want to watch television?"
18 "Why, sure! Is there anything good on tonight?"
19 "Yes, there's a variety show.
20   And later there's a detective movie."

Diversiones

1 –¿Qué piensas hacer esta noche?
2 –Nada de particular.
3 Escuchar la radio . . .
4 Y estudiar un poco.
5 –Pues vente a mi casa . . .
6 Y estudiaremos juntos.

7 –¿Qué estación ponemos?
8 –La que tú quieras.
9 –¿Te gusta la estación ABC?
10 –No, siempre están dando las noticias.
11 Otra que tenga más música.
12 –Aquí está una que te va a gustar.

13 –¿Qué libro estás leyendo?
14 –Es un cuento de bandidos.
15 –¿Te falta mucho?
16 –No, ya lo estoy terminando.

17 –¿Quieres ver la televisión?
18 –Sí, ¡cómo no! ¿Hay algo bueno esta noche?
19 –Sí, un programa de variedades.
20 Y más tarde hay una película policíaca.

Question-Answer Practice

1 ANITA ¿Qué piensas hacer esta noche?
   JULIA Nada de particular.

2 ADELA ¿Cuándo vas a estudiar?
   PATRICIA Esta noche. Vente a mi casa y estudiaremos juntas.

3 PEPE ¿Quieres escuchar esta estación?
   ANTONIO No, otra que tenga más música.

4 RAÚL ¿Qué libro estás leyendo?
   EUSEBIO Un cuento de bandidos.

5 LUCIO ¿Te falta mucho?
   HOMERO No, ya lo estoy terminando.

6 SR. VARGAS ¿Qué estación ponemos?
   SR. JIMÉNEZ La que usted quiera.

7 SR. SILVA ¿No le gusta la estación ABC?
   SR. HERRERO No, siempre están dando las noticias.

8 SRA. PÉREZ ¿Quieren ustedes ver la televisión?
   SRA. SALINAS Sí, ¡cómo no!

9 SRA. REYES ¿Hay algo bueno esta noche?
   SRA. SÁNCHEZ Sí, un programa de variedades.

10 SR. MARTÍNEZ ¿Qué hay más tarde?
    SR. CISNEROS Una película policíaca.

Pattern Practice

1 ¿Qué piensas hacer --
esta noche
esta mañana
esta tarde
el viernes
el domingo
el sábado que viene

-- ?

2 Vente a mi casa --
el lunes a las siete
el domingo a las cuatro
el jueves a las ocho
el sábado a eso de las tres
el miércoles a las seis
el martes a las cuatro y media

--.

3 Aquí está --
una estación	
un programa	
una novela	*novel*
una comedia	*play*
una revista	*magazine*
un periódico	*newspaper*

-- que te va a gustar.

4 Mi hermano está --
leyendo un libro
viendo la televisión
escuchando la radio
estudiando un poco
jugando al tenis
comiendo con unos amigos

--.

5 Esta tarde pienso --
estudiar un poco
escuchar la radio
mirar la televisión
jugar al tenis
quedarme en casa
leer un cuento

--.

6 Vamos a --

> poner la estación
> escuchar el programa
> ver la película
> ir al cine
> comer en el restaurante
> tomar el autobús

-- que tú quieras.

7 Más tarde me gustaría --

> escuchar la radio
> ver la televisión
> jugar al tenis
> ir al centro
> comer en un restaurante
> ir a casa de Pepe

--.

8 ¿Quieres --

> este libro
> este cuento
> este periódico
> ————————
> esta novela
> esta comedia
> esta revista

--? Ya --

> lo
> ——
> la

-- estoy terminando.

9 No

> nos gusta
> ——————————
> nos gustan

> esa estación
> ese programa
> esa orquesta
> ——————————————
> los conciertos
> las películas policíacas
> los programas de variedades

--.

10

> Patricia
> Mi tío
> ————————
> Pepe y yo.
> Mis hermanos y yo
> ————————
> Mis primos
> Anita y Julia

> está
> ———————
> estamos
> ———————
> están

-- viendo un programa de variedades.

Conversations

1 Elisa has called Teresa on the phone.

ELISA   Hola, Teresa.   ¿Qué piensas hacer esta noche?
TERESA Chica, nada de particular.   Tengo que estudiar un poco.
ELISA   Pues vente a mi casa y estudiaremos juntas.   Escuchare-
mos también la radio.
TERESA Muy bien.
ELISA   Ven antes de las ocho, que hay un buen programa.

2 Elisa and Teresa are studying.

ELISA   No me gusta esa estación.
TERESA Ni a mí tampoco.   Siempre están dando las noticias.
ELISA   ¿Ponemos la estación ABC?
TERESA Sí.   Es la única que tiene buena música.   ¿Tienes mucho
que estudiar?
ELISA   No, ya estoy terminando este libro.   Estudio mejor con un
poco de música.

3 Ramón is visiting his friend Enrique.

RAMÓN   ¿Quieres poner la televisión?
ENRIQUE Sí, ¡cómo no!   ¿Qué programa te gusta más?
RAMÓN   A mí me es igual.   El que tú quieras.   Esta noche hay
buenos programas.
ENRIQUE Entonces ponemos una película policíaca.

4 Julia and Anita are on the phone.

JULIA   ¿Qué piensas hacer esta noche?
ANITA Tengo que quedarme en casa con mi hermanito.   Mis
padres van a salir esta noche.
JULIA   ¡Qué lástima!   No tengo mucho que estudiar, y me
gustaría ir al cine.
ANITA Pues vente aquí y veremos la televisión.   A las ocho hay un
programa muy gracioso.
JULIA   Muy bien.   Entonces, hasta luego.

5 Antonio and his friend Eusebio have paused in front of a television display, and are watching a sports program.

ANTONIO ¿Ves mucho la televisión?

EUSEBIO No, porque mis hermanas siempre quieren un programa y yo otro. A ellas les gustan los programas de variedades.

ANTONIO ¿Y a ti no te gustan?

EUSEBIO No, nada. ¡Son malísimos!

ANTONIO Y ¿siempre ellas ponen el programa que quieren?

EUSEBIO Sí, como son tres, y dos mayores . . . Pero los sábados papá está en casa, y a los dos nos gustan los partidos de fútbol.

6 Adela is having refreshments with her new friend Patricia, who has just moved to town.

ADELA Mira, Patricia, ese muchacho que está ahí es Emilio Vargas. Juega en el equipo de fútbol.

PATRICIA Es muy bien parecido. Y la muchacha que está con él es muy linda. ¿Sabes quién es?

ADELA Es Gloria Jiménez. Dicen que son novios, pero yo no lo creo. Ese otro muchacho es Raúl Martínez, que toca en la orquesta de los bailes. Es un chico muy simpático.

PATRICIA Y esas dos chicas ¿las conoces?

ADELA Una de ellas creo que se llama Rosalía. No me acuerdo de su apellido. A la otra no la conozco. Pero aquí viene una de mis mejores amigas. ¡Hola, Felisa! ¿Qué tal? Patricia, ésta es mi amiga Felisa.

PATRICIA Mucho gusto.

FELISA El gusto es mío.

ADELA Dime, Patricia, ¿juegas al tenis? Felisa y yo jugamos casi todas las semanas.

PATRICIA Me gusta, pero no juego muy bien.

FELISA Yo tampoco, pero ¿te gustaría jugar con nosotras el sábado?

PATRICIA Claro que sí. ¿A qué hora?

FELISA A eso de las diez. Creo que a mi hermana le gustaría jugar también.

PATRICIA ¡Qué bueno! Nos veremos entonces el sábado.

7 The Morales have had dinner; the dishes have been washed. Lucio relaxes in his favorite easy chair. Rosita is looking at the paper.

ROSITA Esta noche hay una película muy buena en el Cine Apolo.

LUCIO Queda muy lejos. ¿Hay algo bueno en la televisión?

ROSITA Voy a ver . . . Hay dos programas que te gustan. A las ocho empieza la película policíaca, y a las ocho y media el programa de "Los Bandidos".

LUCIO Pero la película policíaca dura hasta las nueve.

ROSITA Entonces, ¿cuál quieres ver?

LUCIO No sé. Los dos están bien. Y a ti ¿cuál te gusta más?

ROSITA Tú sabes que el programa que más me gusta es el de variedades, con José Martínez y su orquesta.

LUCIO Y ¿qué película dices que ponen en el Cine Apolo?

ROSITA "Una noche divertida."

LUCIO Entonces, ¿por qué no vamos a verla?

ROSITA ¡Qué bien! Vamos a darnos prisa, que no me gusta llegar tarde. Creo que te va a gustar mucho.

8 On the plane from San Francisco to Idlewild, Mr. Silva is on the aisle; Mr. Herrero, whom he does not know, is in the window seat. Mr. Silva stops the stewardess as she comes through the plane.

SR. SILVA Señorita, ¿a qué hora llegamos a Nueva York?

CAMARERA A las tres y veinticinco.

SR. SILVA Dos horas más.

CAMARERA ¿Quiere usted leer algo? Tenemos revistas y periódicos.

SR. SILVA Sí. ¿Tienen la revista "El Tiempo"?

CAMARERA Lo siento. No la tenemos, pero sí la revista "Noticias de la Semana".

SR. HERRERO Aquí tiene usted la mía. Ya no la necesito. Ahora estoy leyendo este libro.

SR. SILVA Muchas gracias. Me gusta mucho esta revista.

SR. HERRERO Y a mí también. Es muy buena.

SR. SILVA Yo soy Homero Silva . . .

SR. HERRERO Y yo Tomás Herrero. ¿Va usted a estar mucho tiempo en Nueva York?

SR. SILVA Vivo allí. Usted ¿de dónde es?

SR. HERRERO De San Francisco.

SR. SILVA	Oh, conozco muy bien esa ciudad. Mi hermano vive allí.
SR. HERRERO	¿En qué barrio?
SR. SILVA	En el de la Merced. Es un barrio muy bonito. Sobre todo, el parque que tiene.
SR. HERRERO	Pues yo también vivo en ese barrio. ¿Y usted dice que se llama Silva? Yo conozco a un Eduardo Silva que vive allí.
SR. SILVA	Pues Eduardo Silva es mi hermano.
SR. HERRERO	¡Hombre! ¿De veras? Su hermano y yo somos buenos amigos.

Topics for Reports

LA TELEVISIÓN

¿Qué programa te gusta más?
¿Lo ves todas las semanas?
¿Qué día?
¿A qué hora empieza?
*¿Le gusta este programa a toda tu
familia?*

Me gusta mucho ver la televisión * * *
* *
* *
* *
* *
* *
* *

LAS NOTICIAS

*¿Te gusta más escuchar las noticias en
la radio, o verlas en la televisión?*
*¿A qué hora es el programa que te gusta
más?*
¿En qué estación?
*¿Cómo se llama el señor que da las
noticias?*

Escucho las noticias todos los días * *
* *
* *
* *
* *
* *
* *

LOS LIBROS

¿Qué libro te gusta más?
¿Te gustan los cuentos policíacos?
¿Qué estás leyendo ahora?
¿Te falta mucho?

Me gusta mucho leer * * * * * * * * *
* *
* *
* *
* *

LOS PARTIDOS

¿Qué día los ves?
¿A qué hora empiezan?
¿Qué equipo te gusta más?
¿Cómo juega?
¿Gana todos los partidos?

Me gusta ver los partidos en la televisión * * * * * * * * * * * * * * * * * *
* *
* *
* *
* *

LA RADIO

¿Qué estación les gusta más?
¿Qué tal es la música?
¿Qué orquesta les gusta más?
¿Cómo tocan?

Nos gusta mucho escuchar la radio * *
* *
* *
* *
* *

Dates

1 "What's the date?"
2 "Today's the 14th."
3 "It's not long till the holidays."
4 "Only three days.
5   I'm really ready for them."
6 "Me too."

7 "What day is your birthday?"
8 "The 30th of this month.
9   I'm going to be fifteen."
10 "Then you're two months older than I am.
11   I'll be fifteen the first of March."

12 "Tomorrow is Mary's birthday.
13   Do you have her present ready?"
14 "Yes, I'm giving her a record."
15 "If you want me to, I can come by your house."
16 "All right, I'll expect you at three."

17 "I hope the weather's good."
18 "With so much rain I doubt it."
19 "The weather is always bad on weekends."
20 "This winter has been awful."

Fechas

1 –¿A cuántos estamos?

2 –Hoy estamos a 14.

3 –Ya falta poco para las vacaciones.

4 –Nada más que tres días.

5   ¡Qué ganas tengo de que lleguen!

6 –¡Y yo lo mismo, chico!

7 –¿Qué día es tu cumpleaños?

8 –El 30 de este mes.

9   Voy a cumplir quince.

10 –Entonces eres dos meses mayor que yo.

11 Yo los cumplo el primero de marzo.

12 –Mañana es el cumpleaños de María.

13 ¿Tienes el regalo listo?

14 –Sí, voy a regalarle un disco.

15 –Si quieres, puedo pasar por tu casa.

16 –Muy bien.   A las tres te espero.

17 –Ojalá que haga buen tiempo.

18 –Con tanta lluvia, lo dudo.

19 –Siempre hace mal tiempo los fines de semana.

20 –Este invierno ha sido malísimo.

Question-Answer Practice

1   CARLOS   ¿A cuántos estamos?
    ENRIQUE   Estamos a 14.

2   TOMÁS   ¿Cuánto falta para las vacaciones?
    MIGUEL   Nada más que tres días.

3   LUISA   ¿Qué día es tu cumpleaños?
    ADELA   El 30 de este mes.

4   ROSITA   ¿Cuántos años vas a cumplir?
    TERESA   Voy a cumplir quince.

5   JORGE   ¿Cuándo es tu cumpleaños?
    FELIPE   El primero de marzo.

6   VICENTE   Tú eres mayor que yo, ¿verdad?
    FEDERICO   Sí.   Yo cumplo quince este mes.

7   GLORIA   ¿Qué día es el cumpleaños de María?
    CECILIA   Creo que es mañana.

8   ROSALÍA   ¿Tienes el regalo listo?
    CARLOTA   Sí.   Voy a regalarle un disco.

9   SR. ALBA   Hace mal tiempo, ¿no?
    SR. MORALES   Sí. Siempre hace mal tiempo los fines de semana.

10   SR. VEGA   Este invierno ha sido malo, ¿verdad?
    SR. FERNÁNDEZ   Sí, malísimo.

Pattern Practice

1 Hoy estamos a --
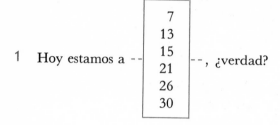
| 7 |
| 13 |
| 15 |
| 21 |
| 26 |
| 30 |

-- , ¿verdad?

2 Ya falta poco para --

| las vacaciones |
| el cumpleaños de María |
| el día del concierto |
| el fin de semana |
| el día del baile |
| el día del partido |

-- .

3 Tú vas a cumplir quince años en --

| enero |
| febrero |
| marzo |
| abril |
| mayo |
| junio |

-- , ¿verdad?

4 Mi cumpleaños es el 27 de --

| julio |
| agosto |
| septiembre |
| octubre |
| noviembre |
| diciembre |

-- .

5 Mis padres van a regalarme --

un reloj	
una radio	
unos discos	
unos libros	
una cámara	*camera*
un tocadiscos	*record player*

-- .

6 ¿Cómo es el tiempo aquí en --

el invierno	
el mes de marzo	
el mes de abril	
la primavera	*spring*
el verano	*summer*
el otoño	*fall*

-- ?

7 ¿En qué meses hace --

buen tiempo	
mal tiempo	
calor	*hot*
frío	*cold*
mucho viento	*very windy*
mucho sol	*very sunny*

-- ?

8 Creo que va a hacer --

buen tiempo	
mal tiempo	
mejor tiempo	
peor tiempo	*worse*
un tiempo agradable	*pleasant*
un tiempo magnífico	*wonderful*

-- .

9 Si hace buen tiempo,
     ¿qué te gustaría hacer --

este fin de semana
mañana por la mañana
esta noche
el sábado que viene
esta tarde
el domingo

-- ?

10 Si hace mal tiempo, pienso --

estudiar un poco
leer unos cuentos
terminar este libro
ver la televisión
escuchar la radio
tocar unos discos

-- .

Conversations

1   Carlos and Enrique begin to think about vacation.

> CARLOS   ¿A cuántos estamos hoy?
> ENRIQUE Estamos a 3.
> CARLOS   ¡Cuánto tiempo falta para las vacaciones!
> ENRIQUE Sí. Tres semanas más. ¡Qué ganas tengo de que lleguen!
> CARLOS   Y yo lo mismo, chico.

2   Luisa and Anita are on their way back from a birthday party.

> LUISA   Este mes tú cumples años también, ¿verdad?
> ANITA   Sí, cumplo diez y siete el día 20.
> LUISA   Entonces eres cuatro meses mayor que yo. Yo los cumplo el 20 de abril. ¡Qué ganas tengo de que llegue mi cumpleaños!

3   Gloria and Carlota are walking home together.

> GLORIA   Vas a ir al cumpleaños de Anita, ¿verdad?
> CARLOTA Sí, ¡cómo no! Ya tengo el regalo listo.
> GLORIA   ¿Qué le vas a regalar?
> CARLOTA Un libro que creo que le va a gustar mucho. Y tú, ¿qué piensas regalarle?
> GLORIA   No estoy segura. Creo que le voy a dar un disco.
> CARLOTA Si quieres, podemos ir juntas.
> GLORIA   Muy bien. A las tres te espero.

4   Jorge and Pablo look forward to the weekend.

> JORGE   ¿Vas al partido del viernes?
> PABLO   ¡Cómo no! Ojalá que haga buen tiempo.
> JORGE   Sí, pero con tanta lluvia, lo dudo. Siempre hace mal tiempo los fines de semana, y sobre todo cuando tenemos un buen partido.

5   Elena and Silvia are making plans for the weekend.

> ELENA   ¿Qué piensas hacer este fin de semana?
> SILVIA   Nada de particular. Tengo que estudiar un poco.

ELENA ¿Quieres jugar al tenis el sábado?

SILVIA Sí. Me gustaría mucho. ¿Por la mañana, o por la tarde?

ELENA Por la mañana es mejor para mí. Si quieres, puedo pasar por tu casa.

SILVIA Muy bien, a las diez te espero. Ojalá que haga buen tiempo.

6 Teresa and Rosalía discuss vacation plans.

TERESA ¿Cuánto falta para las vacaciones?

ROSALÍA Hoy estamos a 4. Faltan sólo diez y siete días. ¿Piensas hacer algo de particular?

TERESA Sí, vamos a casa de mis tíos, que viven en un pueblo cerca de aquí. Siempre vamos a pasar allí estas vacaciones. Y en el verano mis primos vienen a pasar unos días con nosotros.

ROSALÍA ¿Cuántos primos tienes?

TERESA Dos primas y dos primos. Uno es menor que yo, y los otros son un poco mayores. Son muy simpáticos. Sobre todo, el mayor tiene mucha gracia. Y ¿tú tienes primos?

ROSALÍA Tengo uno nada más. Está en la Marina, pero creo que va a venir a pasar las vacaciones con nosotros. Es muy buen chico.

TERESA Ah, sí, ahora me acuerdo. Es Federico, ¿verdad? Es un muchacho muy bien parecido.

7 Mr. Alba and Mr. Vega meet at a sales convention.

SR. ALBA ¡Qué mal tiempo hace aquí!

SR. VEGA Tiene usted razón. ¡Malísimo!

SR. ALBA ¡Qué frío hace!

SR. VEGA Y con tanto viento, peor. Ya estoy con catarro.

SR. ALBA Y yo también. Ahora donde yo vivo hace un tiempo magnífico.

SR. VEGA ¡Cómo no! Días de sol, alegres . . . ni calor ni frío . . . Nunca hace mal tiempo. Es primavera todo el año.

SR. ALBA Sí, nada como nuestra California.

SR. VEGA ¿Nuestra California? ¡Un momento, señor! Yo soy de la Florida.

8 Tomás has stopped by for Miguel on the way to a party.

TOMÁS ¿Estás listo para ir a casa de María?

MIGUEL Sí, ¡cómo no! Ya estoy listo.

TOMÁS Y el regalo ¿dónde está?

MIGUEL ¿Qué regalo?

TOMÁS ¿No te acuerdas? Hoy es el cumpleaños de María.

MIGUEL ¿Su cumpleaños? Pues yo no puedo ir a su casa si no tengo regalo. Tú ¿qué le vas a regalar?

TOMÁS Un disco que le gusta mucho a ella.

MIGUEL Yo puedo hacer lo mismo.

TOMÁS Entonces, date prisa. Vamos al centro.

9 Adela and Belita are about to have lunch before going to a matinee.

ADELA ¿Dónde te gustaría comer? ¿En el Restaurante Salazar, de la Avenida Real?

BELITA Chica, no podemos comer allí porque hoy es lunes.

ADELA ¡Qué lástima! Es verdad. Entonces, ¿por qué no comemos en esta cafetería?

BELITA Muy bien. La comida aquí es siempre buena.

ADELA Vamos a ver qué es lo que tienen hoy . . . Arroz con pollo, filete de ternera, cordero asado . . . Yo creo que voy a tomar el arroz con pollo.

BELITA Yo solamente legumbres. No tengo mucha hambre.

ADELA ¿Nos sentamos aquí?

BELITA Está bien.

ADELA Oh, me falta el cuchillo.

BELITA Toma el mío, que no lo necesito.

ADELA Gracias. ¿Quieres sal y pimienta?

BELITA Sí, por favor. Estas legumbres están muy buenas. ¿Cómo está el arroz con pollo?

ADELA Está delicioso.

BELITA Podemos tomar el autobús para ir al cine, ¿verdad?

ADELA Sí. Queda un poco lejos. ¡Qué ganas tengo de ver esa película! Porque dicen que es muy divertida.

10 Felipe and David are just finishing lunch in a restaurant.

CAMARERO ¿Desean algo más?

FELIPE No, gracias. Tráigame la cuenta.

CAMARERO   Aquí la tiene . . .

FELIPE   Oye, David, ¿qué hora tienes?   Mi reloj anda atrasado.

DAVID   Faltan diez minutos para las dos.

FELIPE   Esta tarde a las tres voy a jugar al boliche. ¿Te gustaría jugar con nosotros?

DAVID   Sí, me gustaría mucho.   ¿Con quién vas?

FELIPE   Con Paco y Enrique.

DAVID   ¿Cuál es el apellido de Paco?

FELIPE   Fernández.   Tú lo conoces, ¿no?   Vive cerca de ti, en la calle Colón.

DAVID   Ah, sí.   Juega mucho al boliche.   Y Vicente ¿no va a jugar esta tarde?

FELIPE   No.   Hoy no puede, porque tiene que ensayar para el concierto.

DAVID   Lo siento, porque él juega muy bien.

FELIPE   Puedo pasar por tu casa, o tú pasas por la mía.

DAVID   Me es igual.   Tú sabes la dirección de Eduardo, ¿verdad?

FELIPE   Sí.   Paseo Buenavista, número 130, no muy lejos de mi casa.

DAVID   Entonces yo puedo pasar por todos.

FELIPE   Muy bien.   Hasta luego.

DAVID   Adiós.

Topics for Reports

MI CUMPLEAÑOS

¿Falta mucho para tu cumpleaños?
¿Cuándo es?
¿Cuántos años vas a cumplir?
¿Cumple años uno de tus amigos el mismo día?

Tengo ganas de que llegue mi cumpleaños * * * * * * * * * *
* * * * * * * * * * * * * * * * * * *
* * * * * * * * * * * * * * * * * * *
* * * * * * * * * * * * * * * * * * *
* * * * * * * * * * * * * * * * * * * *

EL CUMPLEAÑOS

¿Quién cumple años este mes?
¿Qué día?
¿Cuántos años va a cumplir?
¿Es mayor o menor que tú?

Un amigo mío cumple años este mes * * * * * * * * * * * * * *
* * * * * * * * * * * * * * * * * * *
* * * * * * * * * * * * * * * * * * *
* * * * * * * * * * * * * * * * * * *
* * * * * * * * * * * * * * * * * * *

EL TIEMPO

¿Hace buen tiempo hoy?
¿Qué tiempo hace?
¿Cómo ha sido este mes?
*¿Crees que va a hacer buen tiempo este fin de
    semana?*

Hoy no hace buen tiempo * * *
* * * * * * * * * * * * * * * * * * *
* * * * * * * * * * * * * * * * * * *
* * * * * * * * * * * * * * * * * * *
* * * * * * * * * * * * * * * * * * *
* * * * * * * * * * * * * * * * * * *

FIN DE SEMANA

¿Te gustan los fines de semana?
¿Qué piensas hacer si hace buen tiempo?
¿Qué piensas hacer si hace mal tiempo?
¿Vas a estudiar un poco también?

Tengo ganas de que llegue el fin de semana * * * * * * * * * *
* * * * * * * * * * * * * * * * * * *
* * * * * * * * * * * * * * * * * * *
* * * * * * * * * * * * * * * * * * *
* * * * * * * * * * * * * * * * * * *

UN REGALO

¿Cuántos años va a cumplir?
¿Ya tienes el regalo listo?
¿Qué le vas a regalar?
¿Crees que le va a gustar?

Mañana es el cumpleaños de mi hermano * * * * * * * * * *
* * * * * * * * * * * * * * * * * * *
* * * * * * * * * * * * * * * * * * *
* * * * * * * * * * * * * * * * * * *
* * * * * * * * * * * * * * * * * * *

SECOND REVIEW ‖

Reading and Conversational Practice

1

[Habla Federico.]   Andrés y yo vamos a ir al partido del viernes.   Tenemos muchas ganas de verlo, porque va a ser muy bueno.   Empieza a las dos, pero queremos estar allí una hora antes.   Creo que esta vez les vamos a ganar.   Los Leones tienen un equipo muy bueno, pero el nuestro es mejor.   Ojalá que haga buen tiempo.

1   ¿A dónde van a ir Andrés y Federico?

2   ¿Por qué quieren ir?

3   ¿A qué hora empieza el partido?

4   ¿Cómo es el equipo de los Leones?

2

[Habla Antonio.]   Este jueves Tomás y yo vamos a jugar al tenis.   Me gusta el tenis, pero no juego muy bien.   Mi amigo juega mejor que yo, y casi siempre me gana.   Yo juego mucho más al boliche, y el sábado pensamos jugar él y yo un partido, y entonces vamos a ver quién gana.

1   ¿Con quién va a jugar Antonio el jueves?

2   ¿A qué van a jugar?

3   ¿Cómo juega Antonio al tenis?

4   ¿Quién gana casi siempre?

5   ¿A qué juega más Antonio?

6   ¿Cuándo piensan los dos jugar al boliche?

3

[Habla Inés.]   Mi cumpleaños es el día 20.   Voy a cumplir diez y seis años.   Quiero de regalo un reloj, porque el que tengo no anda bien. Mi hermano Daniel también cumple años este mes.   Él es dos años mayor.   Yo le voy a regalar unos discos de una orquesta muy buena que creo que le van a gustar.

1   ¿Cuándo es el cumpleaños de Inés?

2   ¿Cuántos años cumple?

3   ¿Qué quiere de regalo?

4   ¿Cuándo cumple años Daniel?

5   ¿Quién es mayor?

6   ¿Qué le va a regalar su hermana?

4

[Habla Ramón.]   Me gusta mucho tocar en la banda.   En el otoño tocamos en los partidos de fútbol, y en la primavera damos dos o tres conciertos.   Cuando hay un partido en otra ciudad, vamos todos en autobús, y es muy divertido.   Claro que para los conciertos tenemos que ensayar mucho, dos o tres veces a la semana.

1   ¿Le gusta a Ramón tocar en la banda?

2   ¿Dónde tocan en el otoño?

3   ¿Cuándo dan conciertos?

4   ¿Qué hacen cuando hay un partido en otra ciudad?

5   ¿Cuántas veces a la semana ensayan para los conciertos?

5

[Habla Gloria.]   Ya estamos a 14.   Faltan pocos días para el baile. Este baile siempre lo tenemos un poco antes de las vacaciones.   Va a ser el mejor baile del año, con una de las buenas orquestas.   Voy a ir con Juanito y otros amigos.   El baile dura hasta la una, pero yo tengo que estar en casa a las doce y media.

1   ¿Cuánto falta para el baile?

2   ¿Cuándo tienen este baile?

3   ¿Cómo va a ser el baile?

4   ¿Es buena la orquesta?

5   ¿Con quién va a ir Gloria?

6   ¿A qué hora tiene que estar en casa?

7   ¿A qué hora se termina el baile?

6

[Habla Raquel.]   Cuando tengo que estudiar, me gusta poner la radio. Estudio mejor con un poco de música.   Casi siempre pongo la estación ABC, porque no dan mucho las noticias.   Cuando termino de estudiar, miro la televisión.   Esta noche hay unos programas de variedades muy buenos.

1   ¿Qué hace Raquel cuando tiene que estudiar?

2   ¿Por qué pone la radio?

3   ¿Qué estación pone casi siempre?

4   ¿Por qué le gusta esa estación?

5   ¿Qué hace cuando termina de estudiar?

6   ¿Qué programas buenos hay esta noche?

7

[Habla Miguel.]   Estoy leyendo un libro muy divertido, y ya me falta poco para terminarlo.   A Federico también le gustaría leerlo antes de ir a ver la película, que dicen que es muy buena.   Tengo que terminarlo esta noche, porque si no, Federico no va a tener tiempo de leerlo.

1 ¿Cómo es el libro que está leyendo Miguel?
2 ¿Cuánto le falta para terminarlo?
3 ¿A quién le gustaría también leerlo?
4 ¿Cuándo quiere leerlo?
5 ¿Cómo dicen que es la película?
6 ¿Cuándo tiene Miguel que terminar el libro?
7 ¿Por qué tiene que terminarlo esta noche?

8

[Habla Raúl.]   Vicente y yo pensamos ir al cine esta tarde para ver una película que creo que va a ser muy buena.   Hoy es el único día que la ponen, y a los dos nos gustan mucho las películas policíacas.   Vamos a tener tiempo de ir, porque no empieza la película hasta las cuatro, y sólo dura una hora y tres cuartos.   Tenemos que darnos prisa, porque el autobús pasa a las cuatro menos veinte.

1 ¿Quiénes van al cine?
2 ¿Cuántos días ponen la película?
3 ¿Qué películas les gustan?
4 ¿A qué hora empieza?
5 ¿Cuánto tiempo dura?
6 ¿Por qué tienen los muchachos que darse prisa?

9

[Habla la señorita Vela.]   Como de doce a una.   Me gusta comer en la cafetería que queda cerca de aquí.   Sobre todo, cuando hace mal tiempo.   Puedo llegar allí en cinco minutos.   A Carmen y a Patricia también les gusta comer allí.   Las comidas son bastante buenas.   Sobre todo, el arroz con pollo está siempre delicioso.

1 ¿A qué hora come la Srta. Vela?
2 ¿Dónde le gusta comer?
3 ¿Queda muy cerca la cafetería?
4 ¿Qué amigas comen también allí?
5 ¿Cómo son las comidas?
6 ¿Qué es lo que más les gusta?

10

[Habla la señora Vargas.]   Ya son las cinco y media.   Es hora de hacer la comida, y no sé qué darles, porque no quieren cordero otra vez.   Tampoco José y David comen las legumbres.   Quieren filetes en todas las comidas.   Lo que tengo en casa hoy no les va a gustar.   Pero menos mal que podemos ir siempre al restaurante.

1 ¿Qué hora es?
2 ¿Qué tiene que hacer la señora Vargas?
3 ¿Por qué no sabe qué darles de comer?

4 ¿Quiénes no comen las legumbres?
5 ¿Qué quieren José y David en todas las comidas?
6 ¿Dónde pueden ir a comer?

11

[Habla Eduardo.]   Salgo de casa a eso de las ocho.   A las ocho y cuarto pasa el autobús, y llego aquí antes de las ocho y media.   A las doce como en la cafetería.   La comida no es siempre buena, pero a esa hora ya tengo hambre.   Por las tardes me gusta jugar al tenis si hace buen tiempo, y si no, al boliche.   Tengo que estar en casa a eso de las seis, para comer a las seis y media.   Por las noches, escucho la radio y estudio un poco. A veces mi amigo Julián viene a casa y estudiamos juntos.

1 ¿A qué hora sale Eduardo de casa?
2 ¿Dónde come al mediodía?
3 Y por las tardes, ¿qué le gusta hacer?

4 ¿A qué hora tiene que estar en casa?
5 ¿Qué hace por las noches?
6 ¿Quién viene a veces a estudiar con él?

A Holiday

1 "The parade was terrific, wasn't it?"

2 "I should say so! But what a crowd!"

3 "I saw it fine from the balcony.

4 And I took some pictures from there."

5 "Why didn't you go on the picnic yesterday?"

6 "Because my uncle and aunt invited us to dinner.

7 And boy, what a feast!

8 And you—how'd you fare in the country?"

9 "I had a marvelous time."

10 "Tell me about it."

11 "Richard took some of us in his car.

12 Others went on their bikes.

13 We walked as far as the Lookout.

14 Charley got lost at a crossroad.

15 And it took him an hour to find us.

16 Do you remember Pine Inn?"

17 "I sure do. What a pretty place!"

18 "Well, we went there to have the picnic.

19 Afterwards Joe played his guitar.

20 And we all sang some lively songs."

Día de fiesta

1 —El desfile fué estupendo, ¿verdad?

2 —Ya lo creo.   Pero ¡qué gentío!

3 —Yo lo vi muy bien desde el balcón.

4 Y desde allí saqué unas fotos.

5 —¿Por qué no fuiste ayer a la merienda?

6 —Porque mis tíos nos invitaron a comer.

7 Y chico, ¡qué banquetazo!

8 Y tú ¿cómo lo pasaste en el campo?

9 —Lo pasé estupendamente.

10 —Pues cuéntame.

11 —Ricardo llevó a algunos en su coche.

12 Otros fueron en bicicleta.

13 Fuimos a pie hasta el Mirador.

14 En un cruce del camino Carlitos se perdió.

15 Y tardó una hora en encontrarnos.

16 ¿Te acuerdas de la Venta del Pino?

17 —Sí, ¡cómo no!   ¡Qué lugar tan bonito!

18 —Pues allí fuimos a merendar.

19 Después José tocó la guitarra.

20 Y todos cantamos canciones muy alegres.

Question-Answer Practice

1 EMILIA ¿Viste el desfile ayer?
  GLORIA Sí, lo vi muy bien desde el balcón.

2 ELISA El desfile fué estupendo, ¿verdad?
  MARIANA Ya lo creo. Pero ¡qué gentío!

3 JUANITA ¿Por qué no fuiste ayer a la merienda?
  LEONORA Porque mis tíos nos invitaron a comer.

4 DAVID ¿Cómo lo pasaste en el campo?
  RICARDO Lo pasé estupendamente.

5 ALFONSO ¿Fueron todos en bicicleta?
  GUILLERMO No. Ricardo llevó a algunos en su coche.

6 GABRIEL ¿Por qué tardó tanto Carlitos en llegar?
  ROGELIO Porque se perdió en un cruce del camino.

7 JULIÁN ¿Qué pasó después de la merienda?
  GREGORIO José tocó la guitarra y cantamos canciones alegres.

8 SR. SANTOS ¿Sacó usted fotos del desfile?
  SR. CASTILLO Sí, saqué algunas desde el balcón.

9 SRA. RAMÍREZ ¿Dónde merendaron?
  SRA. HINOJOSA En la Venta del Pino.

10 SRA. CÁRDENAS ¿Se acuerda usted de la Venta del Pino?
  SRA. GUZMÁN Sí, ¡cómo no! ¡Qué lugar tan lindo!

Pattern Practice

1 Este fin de semana --
- lo pasé muy bien
- fuí al campo
- saqué unas fotos
- leí un libro
- estudié un poco
- fuí a un concierto
--.

2 El día de la merienda, mi tío llevó --

su guitarra	
su radio	
su cámara	*camera*
los refrescos	*refreshments*
la limonada	*lemonade*
las galletas	*cookies*

--.

3 Ayer por la tarde --
- vimos el desfile
- dimos un concierto
- fuimos de merienda
- sacamos unas fotos
- tocamos unos discos
- cantamos unas canciones
--.

4

El desfile El concierto El banquete	fué estupendo
Las vistas Las canciones Las fiestas	fueron estupendas

--, ¿verdad?

5

Federico Carlota	vió
Alicia y yo Ramón y yo	vimos
Mis tíos Mis padres	vieron

-- el desfile desde el balcón.

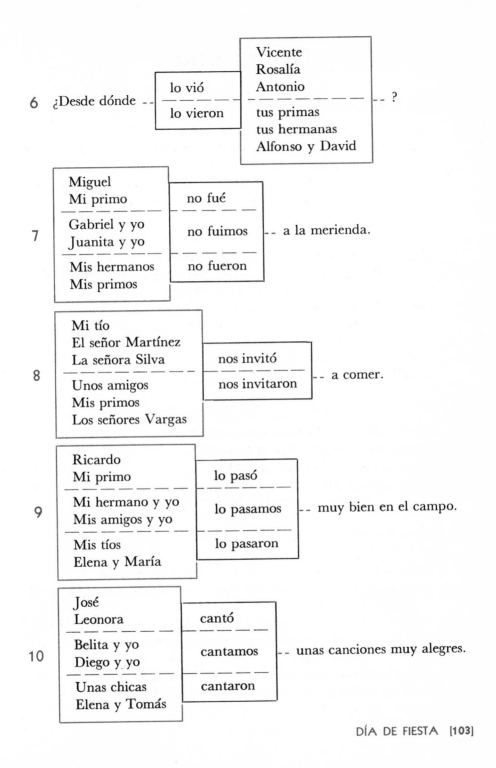

6 ¿Desde dónde -- [lo vió / lo vieron] [Vicente / Rosalía / Antonio / tus primas / tus hermanas / Alfonso y David] -- ?

7 [Miguel / Mi primo / Gabriel y yo / Juanita y yo / Mis hermanos / Mis primos] [no fué / no fuimos / no fueron] -- a la merienda.

8 [Mi tío / El señor Martínez / La señora Silva / Unos amigos / Mis primos / Los señores Vargas] [nos invitó / nos invitaron] -- a comer.

9 [Ricardo / Mi primo / Mi hermano y yo / Mis amigos y yo / Mis tíos / Elena y María] [lo pasó / lo pasamos / lo pasaron] -- muy bien en el campo.

10 [José / Leonora / Belita y yo / Diego y yo / Unas chicas / Elena y Tomás] [cantó / cantamos / cantaron] -- unas canciones muy alegres.

Conversations

1 Julián and Guillermo are on their way home from the parade.

JULIÁN   ¿Desde dónde viste el desfile?

GUILLERMO Lo vi muy bien desde el balcón de Ricardo. Y tú ¿desde dónde?

JULIÁN   Yo desde la Avenida Real. Pero ¡qué gentío! Saqué unas fotos. Ya veremos cómo salen.

2 It's Monday morning. María and Emilia meet on their way to work.

MARÍA Ayer fuiste a comer a casa de tus tíos, ¿verdad?

EMILIA Sí. ¡Y qué comida tan buena! Fué un banquete. Y tú ¿cómo lo pasaste en la merienda?

MARÍA Lo pasamos estupendamente, chica. El Mirador es un lugar tan bonito. Desde allí fuimos a pie a merendar a la Venta del Pino.

EMILIA ¿Y José llevó la guitarra?

MARÍA Sí. Tocó muchas canciones, y todos cantamos.

3 Raúl asks David about the picnic that he was unable to go to.

RAÚL ¿Fuiste al Mirador en el coche de Jorge?

DAVID No. Algunos fuimos en bicicleta.

RAÚL Pero ¿no está muy lejos?

DAVID No mucho. Pero Carlitos se perdió en un cruce del camino, y tardó una hora en encontrarnos.

4 A picnic and the big dance on the same day? Teresa and Emilia try to straighten out the problem.

TERESA Creo que este baile va a ser el mejor de todos.

EMILIA Sí, pero ¿por qué tenemos la merienda y el baile en el mismo día?

TERESA ¿Cómo en el mismo día? . . . No, el baile es el sábado.

EMILIA Es el viernes, estoy segura. Lo sé porque es el primer día de vacaciones.

TERESA Bueno, pues vamos a llamar a Juanita, que ella lo sabe. Ahora está en casa. ¿Tienes el teléfono?

EMILIA Sí, 15 - 24 - 05 . . . . .

TERESA Oye, Juanita, te llamo porque Emilia y yo no estamos seguras de la fecha del baile. Ella dice que es el viernes y yo que es el sábado.

JUANITA Pues Emilia tiene razón, es el viernes.

TERESA Pero ¿por qué tenemos también la merienda en el mismo día?

JUANITA Escucha, chica, no son en el mismo día. Los dos son el viernes, pero la merienda es el 15 y el baile el 22.

5 Eugenio and Alfonso are waiting for the parade.

EUGENIO ¡Qué bien vamos a ver el desfile desde este balcón!

ALFONSO Y desde aquí puedo sacar buenas fotos.

EUGENIO ¡Qué gentío en la calle! Mira, por allí va Roberto.

ALFONSO Oh, también va con su cámara. No sé cómo va a sacar fotos desde allí.

EUGENIO ¿Sabes por dónde va a pasar el desfile?

ALFONSO Sí. Empiezan en la calle Colón, pasan por aquí, luego por la Avenida Real, y terminan en el Paseo Buenavista.

EUGENIO Y ¿cuántas bandas hay?

ALFONSO Yo sé de tres. Mi primo Rogelio toca en una de ellas. Sobre todo, me gustaría sacar una buena foto de su banda. Rogelio dice que esta noche van a dar un concierto en el parque.

EUGENIO ¿Oyes la música? ¡Mira! Ya vienen por la calle Colón.

6 Antonio gives Miguel a report on the party.

MIGUEL ¿Fuiste a la fiesta de cumpleaños de Eufemia?

ANTONIO Sí.

MIGUEL ¿No lo pasaste bien?

ANTONIO No muy bien, chico.

MIGUEL ¿Por qué? Dime.

ANTONIO Oh, algunos llegaron tarde. No fueron Carlos y Vicente. Y a Teresa no la invitaron. Y además la fiestecita duró tres horas.

MIGUEL Y ¿cómo fueron los refrescos?

ANTONIO Tampoco muy buenos: limonada y galletas. Y lo mejor de la fiesta fué cuando Anastasito, que como sabes, siempre está listo para tocar la guitarra, nos dió uno de sus conciertos.

7 The holidays are over. Elisa is talking with Mariana.

ELISA ¿Qué tal lo pasaste en el campo con tus tíos?

MARIANA Lo pasamos estupendamente.

ELISA Pues cuéntame.

MARIANA Llegamos todos el miércoles por la noche. Además de mi familia: el hermano de mamá con sus tres hijos, y la hermana de mi padre, también con sus tres hijos. La familia de mi tío Gregorio, el hermano de mamá, no llegó hasta la medianoche porque vive bastante lejos de allí.

ELISA Tu tío Gregorio ¿es el que toca tan bien la guitarra?

MARIANA Sí, el mismo. El jueves comimos a las dos, y chica, ¡qué banquetazo! Después de comer, todos los primos fuimos a pie hasta la Venta del Mirador. A mi primito Pepe, que tiene solamente seis años, lo perdimos en el camino, pero pronto lo encontramos. ¿Te acuerdas de mi prima Leonora?

ELISA Sí, ¡cómo no! La conocí en tu casa.

MARIANA Pues por la noche ella cantó unas canciones con mucha gracia. Y después, tío Gregorio tocó la guitarra y todos cantamos.

ELISA ¿Sacaste algunas fotos?

MARIANA Sí, saqué fotos de toda la familia, de mi tío tocando la guitarra, y unas vistas estupendas desde el Mirador. ¡Ojalá que salgan bien!

Topics for Reports

EL DESFILE

¿Desde dónde lo viste?
¿A qué hora empezó?
¿Te gustan mucho los defiles?
¿Tocó bien la banda?

Creo que el desfile fué estupendo * * *
* *
* *
* *
* *

DÍA DE CAMPO

¿Cómo lo pasaste?
¿Quiénes fueron?
¿Fueron en coche, o en bicicleta?
¿Dónde merendaron?

Fuimos al campo el sábado * * * * * * *
* *
* *
* *
* *

UNA COMIDA

¿Dónde viven tus tíos?
¿Cómo se llaman?
¿Tienen hijos?
¿Cómo fué la comida?

Ayer mis tíos nos invitaron a comer * *
* *
* *
* *
* *

LA GUITARRA

¿Quién es?
¿La toca bien?
¿Te gusta la música de guitarra?
¿Cuál es la canción que te gusta más?
¿Sabes tocar la guitarra?

Un amigo mío tiene una guitarra * * *
* *
* *
* *
* *

UN AMIGO

¿Cómo se llama?
¿Sabe muchas canciones?
¿Cuál es la canción que canta mejor?
¿Te gusta cantar también?

Tengo un amigo que canta muy bien * *
* *
* *
* *
* *

Shopping

1 "Can you tell me where the House of Music is?"
2 "Go straight ahead to the third intersection.
3 There you have to turn left.
4 It's right next to the National Bank."

5 "What can I do for you?"
6 "Do you have the record 'Green Eyes' by Mario Alba?"
7 "Yes, sir; here it is."
8 "What's the price?"
9 "Ten pesos."

10 "We saw Julie downtown.
11 She bought a new dress."
12 "Yes, I saw it.   It's two shades of blue.
13 It looks lovely on her."
14 "She bought it at the Fashion Shop.
15 And just think, it was a bargain!"

16 "I need a new suit for the concert.
17 It has to be a dark color."
18 "And I have to buy some black shoes.
19 The ones I have now are too small for me."
20 "What a nuisance to go shopping!"

De compras

1 —¿Puede decirme dónde está la Casa de Música?

2 —Siga derecho hasta la tercera bocacalle.

3 Allí hay que doblar a la izquierda.

4 Queda al lado del Banco Nacional.

5 —¿En qué puedo servirle?

6 —¿Tienen el disco "Ojos verdes" por Mario Alba?

7 —Sí, señor . . . Aquí lo tiene.

8 —¿Qué precio tiene?

9 —Diez pesos.

10 —Vimos a Julia en el centro.

11 Se compró un vestido nuevo.

12 —Sí, lo vi. Es azul de dos tonos.

13 Le va divinamente.

14 —Lo compró en la tienda Novedades.

15 Y figúrate que fué una ganga.

16 —Necesito un traje nuevo para el concierto.

17 Tiene que ser de color oscuro.

18 —Y yo tengo que comprar zapatos negros.

19 Los que tengo me quedan pequeños.

20 —¡Qué lata es ir de compras!

Question-Answer Practice

1 SR. SILVA   ¿Puede decirme dónde está la Casa de Música?
   SR. MARTÍNEZ Siga derecho hasta la tercera bocacalle.

2 SR. VARGAS   ¿Tienen el disco "Ojos verdes" por Mario Alba?
   SR. ESQUIVEL Sí, señor . . .   Aquí lo tiene.

3 ELENA ¿Qué compró Julia esta tarde?
   MARÍA Se compró un vestido.

4 JUANITA   ¿En qué tienda lo compró?
   MANUELA En la tienda Novedades.

5 CARMEN   ¿De qué color es el vestido?
   ROSALÍA Es azul de dos tonos.

6 AURELIA ¿Le va bien ese color?
   VICTORIA Sí, le va divinamente.

7 MIGUEL   ¿Qué necesitas comprar?
   RICARDO Necesito un traje nuevo para el concierto.

8 ALONSO ¿De qué color quieres el traje?
   DAVID   Tiene que ser oscuro.

9 VICENTE ¿Tú tienes algo que comprar?
   ANTONIO Sí, unos zapatos. Los que tengo me quedan pe-
            queños.

10 RAMÓN   ¿No te gusta ir de compras?
   FEDERICO No, es una lata.

Pattern Practice

1 La Casa de Música queda --

al lado	
cerca	
lejos	
enfrente	*in front*
detrás	*behind*
a una cuadra	*one block*

-- del banco.

2 En la --

primera	*first*
segunda	*second*
tercera	*third*
cuarta	*fourth*
quinta	*fifth*
próxima	*next*

-- bocacalle, hay que doblar a la izquierda.

3 La tienda Novedades está --

cerca del banco	
en la calle Colón	
bastante lejos de aquí	
al lado del cine	
a mano derecha	*on the right*
a mano izquierda	*on the left*

-- .

4 Julia se compró un vestido --

azul	
verde	
rojo	*red*
amarillo	*yellow*
blanco	*white*
gris claro	*light gray*

-- .

5 ¡Qué lata tener que --

| ir de compras |
| estudiar esta tarde |
| ensayar el sábado |
| ir al baile |
| leer este libro |
| invitar a mi primo |

-- !

6 Esta tarde tengo que comprar --

unos zapatos negros	
un traje oscuro	
un vestido verde	
un sombrero gris	*gray hat*
una corbata azul	*blue tie*
una blusa blanca	*white blouse*

-- .

7 Necesito un traje nuevo para --

el concierto	
el baile	
la fiesta	
el banquete	
la comida	*dinner*
el viaje	*trip*

-- .

8 Ese traje azul es --

un poco oscuro	
de mi medida	*my size*
bastante caro	*expensive*
muy barato	*cheap*
un poco pesado	*heavy*
muy ligero	*lightweight*

-- .

9 Ayer vimos --

a Julia
a Margarita
a los Vegas
al señor Valdés
a la señora Martínez
a los señores García

-- en el centro.

10

Alonso Mi prima	compró
Paco y yo Carmen y yo	compramos
Mis amigas Mis hermanos	compraron

-- unos discos estupendos.

Conversations

1 Alicia asks a policeman for directions.

ALICIA   Por favor, ¿puede decirme dónde está la tienda Nove-
          dades?
POLICÍA Sí, señorita. Siga derecho hasta la segunda bocacalle.
          Allí hay que doblar a la derecha. Queda al lado del
          cine Colón.
ALICIA   Muchas gracias.
POLICÍA De nada, señorita.

2 A clerk comes up to Alonso and Bernardo at the record shop.

DEPENDIENTE ¿En qué puedo servirles?
ALONSO   ¿Tienen ustedes el disco "Una noche de verano"
              por Julio Valdés?
DEPENDIENTE No, por Julio Valdés no lo tengo.
BERNARDO   ¿Y por Javier Martínez?
DEPENDIENTE Sí, señor. Ése sí lo tenemos. Aquí está.
ALONSO   ¿Qué precio tiene?
DEPENDIENTE Solamente seis pesos.

3 Carmen has just returned from a shopping trip. Belita is waiting for her.

BELITA   ¿Compraste mucho en el centro esta mañana?
CARMEN   Yo no, pero Julia se compró un vestido muy bonito.
BELITA   ¿Cómo es?
CARMEN   Es verde. Le va divinamente.
BELITA   ¿En qué tienda lo compró?
CARMEN   En la Casa Novedades. Y además fué una ganga.

4 Getting off at the terminal, Arturo sees Gabriel.

ARTURO   ¡Hola, Gabriel! ¿Adónde vas?
GABRIEL Ya voy para casa. ¿Y tú?
ARTURO   Tengo que comprar un regalo para mi hermana, que
          mañana cumple años.
GABRIEL ¿Qué le vas a comprar?

ARTURO Voy a regalarle un disco que a ella le gusta. ¿Sabes dónde hay una casa de música cerca de aquí?

GABRIEL En este barrio no, pero sé de una muy buena que está un poco lejos, al otro lado del parque. Queda muy cerca del Banco Nacional. Siempre compro los discos allí.

ARTURO ¿Cómo se llama?

GABRIEL La "Casa de Discos". Si tienes prisa, puedes tomar el autobús número 7, y en menos de diez minutos estás allí.

ARTURO Hombre, gracias. Hasta la vista.

GABRIEL Oye, Arturo.

ARTURO ¿Sí?

GABRIEL Ya que vas allí, mira si tienen el disco "Noche oscura" por José Martínez y su orquesta. Tengo ganas de comprarlo.

5 Luis and Pablo are on the downtown bus.

LUIS Pablo, ¿qué tienes que comprar?

PABLO Necesito unos zapatos negros. Los que tengo me están pequeños.

LUIS Pues yo tengo que comprar un traje oscuro. Lo necesito para el concierto.

PABLO Es una lata ir de compras, ¿verdad?

6 Aurelia takes Victoria up to her room.

AURELIA Mira el vestido nuevo que me compré esta mañana..

VICTORIA ¡Oh, qué bonito! Te va tan bien el amarillo.

AURELIA Y me queda divinamente.

VICTORIA ¿Dónde lo compraste?

AURELIA En la tienda Novedades. Cuando lo vi, me gustó tanto que mamá me lo compró.

VICTORIA Fué muy caro, ¿verdad?

AURELIA No, fué una ganga, porque es vestido de invierno, y ya están poniendo los de primavera. Y ¡figúrate! ¡El único de mi medida!

VICTORIA ¿Piensas llevarlo el sábado?

AURELIA ¡Claro que sí! Por eso llevé a mamá de compras.

7 On his way to the mailbox on the corner, Eliseo meets David and Vicente.

ELISEO ¡Hola, David! ¿Adónde vas?

DAVID Vicente y yo vamos a jugar al boliche. ¿Por qué no vienes con nosotros?

ELISEO Me gustaría ir, pero esta vez no puedo, porque tengo que comprarme unos zapatos.

DAVID ¿No puedes comprarlos mañana?

ELISEO No, porque el concierto es esta noche.

DAVID ¿Tú a conciertos? ¿Desde cuándo?

ELISEO No es por mi gusto, chico. Los conciertos son una lata. Lo que pasa es que esta noche mi hermana va a tocar.

8 It's a rainy afternoon. Luisa and her brother Raúl, sitting in their rooms, are bored with nothing to do.

LUISA ¿Qué es lo que estás haciendo, Raúl?

RAÚL ¿Qué voy a hacer con este mal tiempo? Con tanta lluvia no puedo salir. Los programas de televisión son malísimos. Y tampoco tengo nada bueno que leer.

LUISA ¿De veras? ¿Por qué no lees el libro que tía Manuela te regaló para tu cumpleaños? *Los Bandidos Graciosos* son unos cuentos muy divertidos.

RAÚL No puedo creerlo. ¿Un libro de tía Manuela? No, muchas gracias. Mejor, pongo el radio.

9 A clerk greets Mr. Rivera as he enters the clothing store.

DEPENDIENTE Buenas tardes, señor. ¿En qué puedo servirle?

SR. RIVERA Necesito comprar un traje ligero.

DEPENDIENTE ¿De qué color lo desea?

SR. RIVERA De un color ni claro ni oscuro.

DEPENDIENTE Aquí hay uno gris que es muy bonito.

SR. RIVERA No, ése es muy oscuro y además pesado.

DEPENDIENTE No, señor, éste no es traje de invierno.

SR. RIVERA Lo quiero más ligero porque me voy a la Argentina, donde ahora es verano.

DEPENDIENTE De trajes de verano no nos quedan muchos, pero aquí tengo éste, que es de lo mejor. Le va a quedar muy bien. Su medida es 34, ¿verdad?

SR. RIVERA	No, creo que es 36.
DEPENDIENTE	A ver cómo le queda éste.
SR. RIVERA	Oh, me está muy pequeño.
DEPENDIENTE	Un poquito nada más. Es el único traje claro que hay.
SR. RIVERA	¿Cree usted que pueden ponerlo a mi medida? Salgo de la ciudad en tres días.
DEPENDIENTE	Sí, ¡cómo no! Mañana antes de las cinco puede estar el traje listo.
SR. RIVERA	¿Y el precio?
DEPENDIENTE	Señor, solamente ciento cincuenta.

Topics for Reports

COMPRANDO DISCOS

¿Tienes muchos discos?
¿Qué orquesta te gusta más?
¿En qué tienda compras los discos?
¿Dónde está?
¿Cómo son allí los precios?

Me gusta mucho la música * * * * * * *
* *
* *
* *
* *
* *

UN VESTIDO NUEVO

¿Cuándo lo compró?
¿En qué tienda?
¿De qué color es?
¿Crees que le va bien el vestido?

Mi hermana se compró un vestido
nuevo * * * * * * * * * * * * * * * * * *
* *
* *
* *
* *

ZAPATOS NUEVOS

¿De qué color los quieres?
¿Te están pequeños los que tienes?
¿Dónde piensas comprarlos?
¿Está la tienda en el centro?

Tengo que comprarme unos zapatos * *
* *
* *
* *
* *

EL CENTRO

¿Está lejos de tu casa?
¿Vas a pie, o tomas el autobús?
¿En qué calle están las tiendas mejores?
¿Qué tienda te gusta más?
¿Te gusta ir de compras?

No voy mucho al centro * * * * * * * * *
* *
* *
* *
* *
* *
* *

UNA COMIDA

¿Hay un buen restaurante allí?
¿Cómo se llama?
¿Dónde está?
¿Qué sirven de bueno?

Vamos a comer en el centro esta
noche * * * * * * * * * * * * * * * * * *
* *
* *
* *
* *

Having Refreshments

1 "What would you like to have?"
2 "An orangeade for me."
3 "And a malted milk for me."

4 "That record's about over.
5   Shall we play another?"
6 "Yes, but I haven't any change."
7 "That's all right.   I've got some."

8 "This place is pretty lively."
9 "Well, yesterday there were even more people here.
10   It was four o'clock when we got here.
11   And there wasn't an empty table left."

12 "At last, here comes Arthur.
13   Hi!   What took you so long?"
14 "At the last minute they called a rehearsal."

15 "How did the rehearsal turn out?"
16 "Just fair.
17   Albert didn't remember his part very well."
18 "And did Mariana know hers?"
19 "Yes, but she was a little nervous.
20   I sure hope that on opening night everything turns out better."

Tomando refrescos

1 –¿Qué desean tomar?

2 –Yo una naranjada.

3 –Y yo una leche malteada.

4 –Ese disco está para terminar.

5   ¿Ponemos otro?

6 –Sí, pero no tengo suelto.

7 –No importa, hombre.   Yo tengo.

8 –Este sitio está muy animado.

9 –Pues ayer había aun más gente.

10   Eran las cuatro cuando llegamos . . .

11   Y ya no quedaba una mesa desocupada.

12 –Por fin, aquí llega Arturo.

13   ¡Hola!   ¿Por qué tardaste tanto?

14 –A última hora nos llamaron a ensayar.

15 –¿Cómo resultó el ensayo?

16 –Regular, nada más.

17   Alberto no se acordaba bien de su papel.

18 –Y Mariana ¿sabía el suyo?

19 –Sí, pero estaba algo nerviosa.

20   Ojalá que en el estreno todo resulte mejor.

Question-Answer Practice

1 CAMARERO ¿Qué desea tomar?
  ARTURO   Una naranjada.

2 CAMARERO Usted ¿qué quiere tomar?
  ALBERTO   Una leche malteada.

3 JUAN ¿Ponemos otro disco?
  LUIS Sí, pero yo no tengo suelto.

4 JOSÉ   ¿Por qué tardaste tanto?
  TOMÁS A última hora nos llamaron a ensayar.

5 DIEGO   ¿Cómo resultó el ensayo?
  ALONSO Regular, nada más.

6 ELENA   Y Mariana ¿sabía su papel?
  BELITA Sí, pero estaba algo nerviosa.

7 INÉS   ¿Estaba nervioso Alberto?
  AMALIA No, pero no se acordaba bien de su papel.

8 SR. VEGA   Este sitio está muy animado, ¿verdad?
  SR. NAVARRO Sí, pero ayer había aun más gente.

9 SR. VALDÉS ¿Qué hora era cuando llegó usted?
  SR. ZAPATA Eran las cuatro.

10 SR. MÉNDEZ ¿No resultó bien el ensayo?
   SR. RIVERA No. Ojalá que el estreno resulte mejor.

Pattern Practice

1 Voy a tomar --
una naranjada
una soda
un vaso de leche
un helado de fresas *strawberry ice*
unos pasteles *pastry*
unas frutas frescas *fresh fruit*

-- .

2
A última hora
A las tres
Esta tarde
Hace una hora *an hour ago*
Ayer tarde *yesterday afternoon*
Anoche *last night*

-- nos llamaron a ensayar.

3 Mariana sabía --
su papel
el número
la dirección
el nombre
la fecha
la hora

-- .

4 ¿Cómo resultó --
el ensayo
el concierto
el partido
el programa
la comida
la fiesta

-- de ayer?

5 Alberto no se acordaba --
de su papel
de la dirección
del número
del nombre
de la fecha
de la hora

-- .

6 Eran las cuatro cuando --

| llegué aquí |
| tomé el autobús |
| llamé a Paco |
| salí de casa |
| vi a Lucía |
| fuí al centro |

--.

7 Eran casi las seis cuando Juan y Luis --

| salieron de casa |
| fueron al centro |
| vieron a Carolina |
| tomaron el autobús |
| llegaron a mi casa |
| empezaron a estudiar |

--.

8 Cuando los chicos llegaron a casa, --

tenían hambre	
estaban nerviosos	
tenían sed	*thirsty*
estaban cansados	*tired*
tenían frío	*cold*
tenían calor	*hot*

--.

9 Cuando salimos, --

era ya	la una
	la una y diez
	la una y media
eran ya	las dos
	las tres menos cuarto
	las cuatro y veinte

--.

10 A esa hora --

Eduardo	
Elena	estaba
Arturo y yo	estábamos
Luisa y yo	
mis amigos	estaban
Inés y Amalia	

-- ensayando.

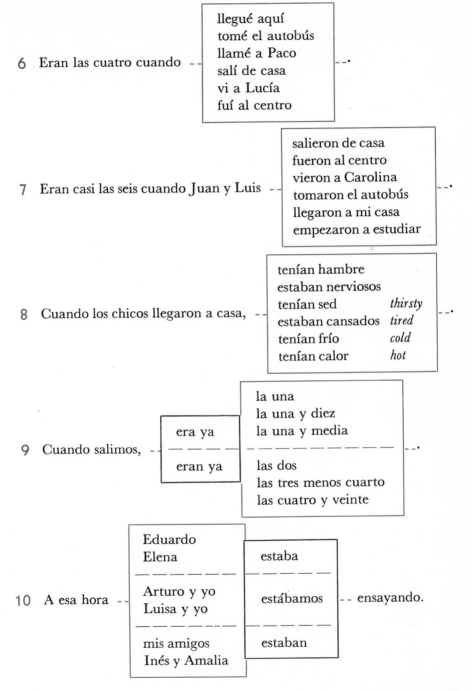

Conversations

1 Arturo and Julián have stopped by the snack bar.

CAMARERO ¿Qué desean ustedes tomar?
ARTURO Yo un helado de fresas.
JULIÁN Y para mí una leche malteada.
CAMARERO Muy bien. En un momento se lo traigo.
ARTURO Ese disco está para terminar. ¿Ponemos otro?
JULIÁN Sí. Aquí tengo suelto.
ARTURO No, ya lo tengo.
JULIÁN Este sitio está muy animado, ¿verdad?
ARTURO Sí, pero ayer había aun más gente. Cuando llegamos a las cuatro, ya no quedaban mesas desocupadas.

2 On their way to the pool, Diego and Juan wait for Alberto.

DIEGO ¿Sabes por qué tarda tanto Alberto?
JUAN Creo que a última hora les llamaron a ensayar. Pero mira, por allí viene.
DIEGO ¡Hola, Alberto! ¿Cómo resultó el ensayo?
ALBERTO Regular, nada más.
JUAN Pues, ¿cómo fué eso?
ALBERTO Mariana no sabía su papel, y estaba muy nerviosa.
DIEGO Y Ramón ¿sabía el suyo?
ALBERTO No muy bien. Ojalá que en el estreno todo resulte mejor. Pero lo dudo.

3 The Reyes family is having dinner. Mrs. Reyes notices that her son Eduardo seems to have lost his appetite.

SRA. REYES ¿Qué te pasa, Eduardo? ¿Por qué no comes el arroz con pollo, que te gusta tanto?
EDUARDO Está muy bueno, pero no tengo mucha hambre.
SRA. REYES Mira con qué gusto lo come tu hermanita. Hijo, come un poquito de pollo, o unas legumbres.
EDUARDO Pero mamá, no puedo.
SRA. REYES Entonces, dime ¿tomaste algo esta tarde?
EDUARDO Sí, después de jugar al tenis, Felipe y yo teníamos mucha sed y fuimos a tomar una soda.

SRA. REYES ¿Y eso fué todo? ¿No tomaste algo más?

EDUARDO Sí, después tomamos helado y pasteles.

SRA. REYES Siempre pasa lo mismo cuando tengo algo que te gusta.

4 The movie is over. Estela and Mariana are just leaving the theatre.

ESTELA ¡Qué bonita la película, ¿verdad?

MARIANA Me gustó aun más que el libro. Las vistas eran estupendas.

ESTELA También los vestidos eran lindísimos. Sobre todo, el de Cecilia Navarro, que le quedaba divinamente.

MARIANA Y Mario Valdés ¡qué bien estaba también en su papel!

ESTELA A mí en particular me gustó la canción que ella cantó con tanta gracia desde el balcón. Y después la que cantaron los dos juntos en la fiesta.

MARIANA ¿Cuál es el nombre del que hacía de bandido?

ESTELA No sé. Pero lo hacía muy bien. Sobre todo, cuando salió al camino con el cuchillo . . . Oye, Mariana, ¿qué hora tienes? ¿Tenemos tiempo de tomar algo?

MARIANA Sí, ¡cómo no! La película no duró mucho. Son las cinco menos cuarto, y hasta las seis y media no tengo que estar en casa.

ESTELA Pues yo tengo sed. Ahí al lado hay un sitio donde podemos tomar un refresco.

MARIANA Sí. A mí me gustaría tomar una naranjada . . .

ESTELA ¡Cuánta gente! Mira, allí está Enrique con sus amigos.

MARIANA No hay una mesa desocupada.

ESTELA Oh, allí están Elena y Carolina. Vamos a sentarnos con ellas.

5 Andrés and Eusebio have just entered the theatre.

ANDRÉS ¿Dónde vamos a sentarnos?

EUSEBIO Allí hay sitio para dos.

ANDRÉS Pero ésos están muy cerca. A mí me gustaría un poco más lejos. ¿Y a ti?

EUSEBIO A mí me es igual.

ANDRÉS Chico, llegamos a tiempo. Va a empezar la película. Están terminando con las noticias.

6 The bus is behind schedule, and Luis begins to worry about being late. He turns to the distinguished-looking gentleman beside him.

LUIS   Por favor, ¿puede usted decirme qué hora es? Mi reloj no anda bien.

SR. ZAPATA Según el mío, faltan quince minutos para las cinco.

LUIS   Gracias. Pero ¡qué reloj tan estupendo tiene usted! Ahí dice la fecha de hoy, ¿verdad?

SR. ZAPATA Sí, y también el tiempo que hace. Mirando este reloj, puedo ver que hoy es lunes, primero de marzo, y que hace muy mal tiempo. Lo único malo es que siempre anda un poquito atrasado.

7 Ramón and Leonora Treviño are house guests of Manuel and María González for the weekend. They have just finished dinner.

RAMÓN   ¡Qué banquetazo, María!

LEONORA Sí. Estaba todo delicioso. El filete de ternera, mejor que el del Restaurante Salazar.

MARÍA   No tanto, pero muchas gracias.

RAMÓN   Allí siempre ponen mucha pimienta.

MANUEL   Pero lo mejor, Ramón, es que no te voy a pasar la cuenta.

MARÍA   Leonora, ¿te gustaría ver unas fotos que Manuel sacó en 1935, donde está también Ramón?

LEONORA Ya lo creo que sí.

MARÍA   Mira, éstas son las fotos que sacamos el día que fuimos al Mirador. ¿Te acuerdas, Ramón?

RAMÓN   Sí, ¡cómo no! Aquí está Amalia. ¡Qué chica tan bonita!

LEONORA ¿Amalia era entonces tu novia?

RAMÓN   No, amigos nada más. Amalia es una de las primas de Manuel. Y aquí está Ignacio. ¿Te acuerdas cómo se perdió en un cruce del camino?

MANUEL   ¡Ah, sí, hombre! A Ignacito siempre le pasaba algo. Tardó una hora en encontrarnos, y cuando por fin llegó, ya no quedaba mucha merienda.

LEONORA Y ese muchacho tan bien parecido que está con María ¿quién es?

MANUEL   Ése es Rafael Jiménez. Un buen chico. Ahora somos buenos amigos.

MARÍA   Pero mira ¡qué vestidos! ¡Y entonces creíamos que eran tan bonitos!

MANUEL   Éstas son las vistas que saqué del Mirador.

LEONORA ¡Qué sitio tan lindo!

RAMÓN   Y ésta es la foto de la Venta del Pino, donde merendamos, ¿verdad? ¿Te acuerdas que tú tocaste la guitarra y todos cantamos?

MANUEL   Sí. Entonces me gustaba mucho la guitarra. Pero ya nunca la toco.

RAMÓN   Hombre, de seguro que te acuerdas de alguna de las canciones. ¿Por qué no tocas, y todos cantamos un poco?

8   Mrs. López and Mrs. Méndez are shopping at the market.

SRA. LÓPEZ   ¡Oh, qué buenas y frescas están las frutas hoy!

SRA. MÉNDEZ Sobre todo, las fresas. Voy a comprar unas para llevarle a mi hermana, que le gustan mucho.

SRA. LÓPEZ   Señora Méndez, ¿está mejor su hermana?

SRA. MÉNDEZ No mucho. No pasó bien la noche.

SRA. LÓPEZ   Lo siento. Creí que ya estaba mejor. Quiero ir a verla pronto, pero hoy no puedo. Mi hermano y su familia, que están de vacaciones, vienen a pasar una semana con nosotros. También viene el primo que está en la Marina.

SRA. MÉNDEZ Seguro que tiene mucho que hacer hoy, con tanta familia que dar de comer.

SRA. LÓPEZ   No sé lo que voy a comprar para tanta gente.

SRA. MÉNDEZ Hoy tienen cordero muy fresco y a buen precio.

SRA. LÓPEZ   ¡Qué bien!, porque a todos nos gusta. Y menos mal que hay una cafetería cerca de la casa, donde podemos comer algunas veces. Ay, ya son casi las doce. Tengo que darme prisa. Mucho gusto en verla. A su hermana muchos recuerdos, y que se mejore pronto.

SRA. MÉNDEZ Muchas gracias. Hasta la vista.

SRA. LÓPEZ   Adiós.

Topics for Reports

TOMANDO REFRESCOS

¿Cuál es?
¿Está cerca de aquí?
¿Está siempre muy animado?
¿Qué sirven?

Yo sé de un buen sitio para tomar
refrescos * * * * * * * * * * * * * * * * * *
* *
* *
* *
* *

POR LA TARDE

¿A dónde vas para merendar?
¿Van tus amigos también?
¿Qué te gusta tomar?
¿Qué toman tus amigos?

A eso de las cuatro de la tarde, siempre
tengo mucha hambre * * * * * * * * * *
* *
* *
* *
* *

UN ENSAYO

¿Qué papel tienes tú?
¿Ya lo sabes bien?
¿Saben todos su papel?
¿Cómo resultó el ensayo?
¿Cuándo es el estreno?

Me gusta el papel que tengo * * * * * * *
* *
* *
* *
* *
* *

LA MÚSICA

¿Tienes muchos discos?
¿Qué orquesta te gusta más?
¿También te gusta escuchar la radio?
*¿Cuál es la estación que tiene más
música?*

Me gusta mucho la música * * * * * * *
* *
* *
* *
* *

AL CINE

¿A qué hora llegaste tú?
¿Cuándo empezó la película?
¿A qué hora llegaron ellos?
¿Por qué tardaron tanto?

Mis amigos llegaron tarde al cine esta
noche * * * * * * * * * * * * * * * * * * *
* *
* *
* *
* *

Illnesses and Accidents

1 "What's the matter?   Do you feel bad?"
2 "I don't know what's the matter with me.
3   I ache all over."
4 "You ought to go to the infirmary.
5   I hope it's nothing serious."

6 "Is Inez better?"
7 "Yes.   She doesn't have any fever now."
8 "What did the doctor tell her?"
9 "That she ought to stay in bed another day."

10 "Where's Tom?   Is he sick?"
11 "No, he fell on the stairway . . .
12   And broke a tooth."
13 "Did he go to the dentist's?"
14 "Yes; he had to go.   It was hurting him a lot."

15 "What happened to Manuel?"
16 "The poor guy had an automobile accident."
17 "Oh, — that's the reason he has his arm bandaged!"
18 "He also hurt his head a little."
19 "Was anyone else injured?"
20 "Yes, his brother's still in the hospital."

Enfermedades y accidentes

1 –¿Qué te pasa? ¿Te sientes mal?

2 –No sé lo que tengo.

3 Me duele todo el cuerpo.

4 –Hombre, debes ir a la enfermería.

5 Ojalá no sea nada serio.

6 –¿Está mejor Inés?

7 –Sí, ya no tiene fiebre.

8 –¿Qué le dijo el médico?

9 –Que debía guardar cama un día más.

10 –¿Dónde está Tomás? ¿Está enfermo?

11 –No, se cayó en la escalera . . .

12 Y se rompió un diente.

13 –¿Fué al dentista?

14 –Sí, tuvo que ir. Le dolía mucho.

15 –¿Qué le pasó a Manuel?

16 –El pobre tuvo un accidente de automóvil.

17 –Ah, por eso lleva el brazo vendado.

18 –También se lastimó algo la cabeza.

19 –¿Hubo alguien más herido?

20 –Sí, su hermano está todavía en el hospital.

Question-Answer Practice

1 RAMÓN ¿Qué te pasa?
  DAVID No sé lo que tengo.

2 JORGE ¿Dónde está José?
  ARTURO Fué a la enfermería.

3 ERNESTO ¿Está enfermo Antonio?
  ROLANDO No, pero se lastimó la cabeza.

4 JULIA ¿Está mejor Inés?
  CECILIA Sí. Ya no tiene fiebre.

5 ANITA ¿Qué le pasó a Tomás?
  CARLOTA Se cayó en la escalera y se rompió un diente.

6 ESTELA ¿Fué Tomás al dentista?
  MARGARITA Sí, tuvo que ir. Le dolía mucho.

7 GABRIEL ¿Por qué lleva Manuel el brazo vendado?
  ROBERTO El pobre tuvo un accidente de automóvil.

8 ALFREDO ¿Hubo alguien más herido?
  FERNANDO Sí, el hermano está todavía en el hospital.

9 SR. MOLINA ¿Se siente usted mal?
  SR. CASTAÑEDA Sí, me duele todo el cuerpo.

10 SR. LOZANO ¿Qué le dijo el médico?
   SR. MALDONADO Que debía guardar cama un día más.

Pattern Practice

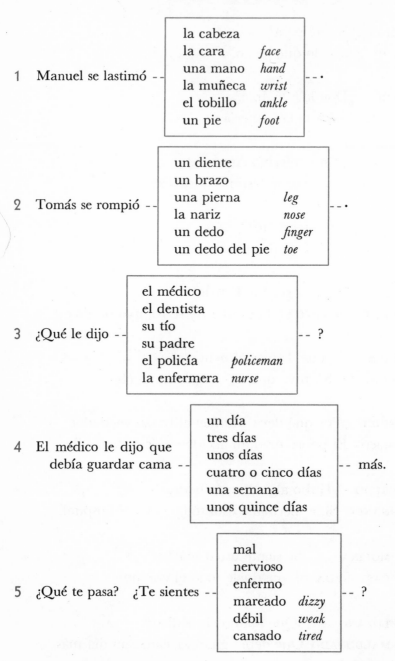

1   Manuel se lastimó – –

la cabeza	
la cara	*face*
una mano	*hand*
la muñeca	*wrist*
el tobillo	*ankle*
un pie	*foot*

– – .

2   Tomás se rompió – –

un diente	
un brazo	
una pierna	*leg*
la nariz	*nose*
un dedo	*finger*
un dedo del pie	*toe*

– – .

3   ¿Qué le dijo – –

el médico	
el dentista	
su tío	
su padre	
el policía	*policeman*
la enfermera	*nurse*

– – ?

4   El médico le dijo que
debía guardar cama – –

un día
tres días
unos días
cuatro o cinco días
una semana
unos quince días

– – más.

5   ¿Qué te pasa?   ¿Te sientes – –

mal	
nervioso	
enfermo	
mareado	*dizzy*
débil	*weak*
cansado	*tired*

– – ?

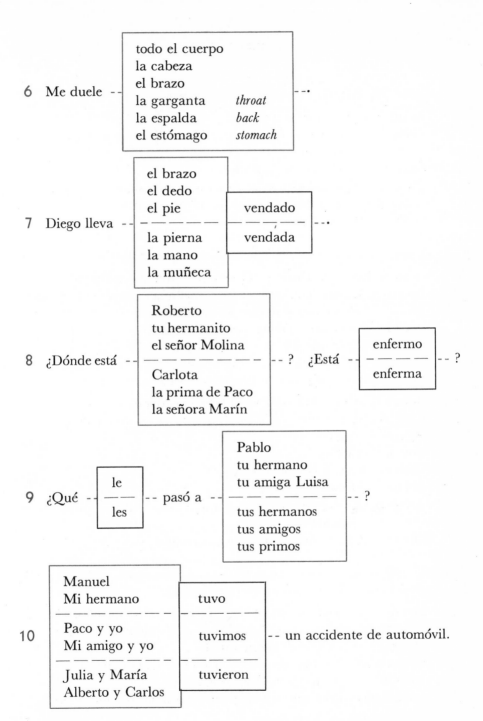

6   Me duele --
todo el cuerpo
la cabeza
el brazo
la garganta   *throat*
la espalda   *back*
el estómago   *stomach*
--.

7   Diego lleva --
el brazo
el dedo
el pie
la pierna
la mano
la muñeca
  vendado
  vendada
--.

8   ¿Dónde está --
Roberto
tu hermanito
el señor Molina
Carlota
la prima de Paco
la señora Marín
-- ?   ¿Está --
enfermo
enferma
-- ?

9   ¿Qué --
le
les
-- pasó a --
Pablo
tu hermano
tu amiga Luisa
tus hermanos
tus amigos
tus primos
-- ?

10
Manuel
Mi hermano
Paco y yo
Mi amigo y yo
Julia y María
Alberto y Carlos
  tuvo
  tuvimos
  tuvieron
-- un accidente de automóvil.

Conversations

1 Carlota sees Inés, the sister of her friend Anita.

CARLOTA ¿Está mejor Anita?

INÉS Sí. Ya no tiene fiebre. Pero dice que le duele todo el cuerpo.

CARLOTA Y el médico ¿qué dice?

INÉS Que debe guardar cama unos días más.

CARLOTA Bueno, Inés, dile que se mejore pronto.

INÉS Gracias.

2 Ramón and David are talking before the club meeting starts.

RAMÓN No veo a Diego. ¿Qué le pasa que no está aquí?

DAVID ¿Hombre, no sabes que esta mañana se cayó en la escalera de su casa y se rompió un diente?

RAMÓN ¿De veras? ¿Tuvo que ir al dentista?

DAVID ¡Claro que sí! Le dolía mucho.

3 Jorge and Arturo see Mateo, bandaged, hobble across the street.

JORGE Mira. Mateo lleva el brazo vendado.

ARTURO Sí, hombre. ¿No sabes que tuvo un accidente de automóvil?

JORGE ¿Cuándo?

ARTURO Ayer, a eso de las cinco.

JORGE ¿Hubo otros heridos?

ARTURO Sí. Su hermano se rompió una pierna. Está en el hospital.

JORGE ¡Qué lástima! Pobres muchachos.

4 In a hospital room, the doctor is talking with the nurse as he examines the patient's chart. They think Mr. Sánchez is asleep.

MÉDICO Veo que ya no tiene fiebre. ¿Pasó buena noche?

ENFERMERA Creo que sí. No llamó más que una vez.

MÉDICO ¿Y qué es lo que quería?

ENFERMERA Un vaso de leche. Dijo que tenía hambre.

MÉDICO ¿Come bien en las comidas?

ENFERMERA Dice que no le gustan, pero se lo come todo . . .

SR. SÁNCHEZ Mire, doctor, es que ya estoy cansado de estas comiditas de hospital, que nunca me dan bastante. Ya no me duele nada. ¿Cuándo me voy a mi casa? Es una lata estar en la cama todo el tiempo.

MÉDICO Señor Sánchez, usted ya está bien. Puede salir del hospital esta mañana.

5 Mrs. Mendoza is calling Mrs. Ramírez on the phone.

SRA. MENDOZA ¡Hola! ¿Qué tal?

SRA. RAMÍREZ Bien, y ustedes ¿cómo están?

SRA. MENDOZA No muy bien, porque Martita está enferma. Te llamaba para decirte que esta tarde no puede ir al cumpleaños de Lucía.

SRA. RAMÍREZ ¡Cuánto lo siento! ¿Qué le pasa?

SRA. MENDOZA Tiene catarro y un poco de fiebre.

SRA. RAMÍREZ Ojalá no sea nada serio. Con este mal tiempo y tanta lluvia, hay muchos catarros.

SRA. MENDOZA ¡Y Martita que tenía tantas ganas de ir a la fiesta! Menos mal que hay programas en la televisión que le gustan. Claro que a mí me está dando la lata con tantas películas policíacas y programas de variedades. Pero en fin, dile a Lucía que tenemos un regalito para ella, y le deseamos que pase un buen día.

SRA. RAMÍREZ Muchas gracias. Y a Martita que se mejore pronto.

6 Dr. Alegría is showing Mrs. Puentes the x-rays of her teeth.

DR. ALEGRÍA Señora, siento decirle que tiene catorce cavidades.

SRA. PUENTES ¡Catorce! ¿Cómo puede ser eso?

DR. ALEGRÍA Tres años es mucho tiempo, señora.

SRA. PUENTES Pero ¡si nunca me duelen!

DR. ALEGRÍA Ahora no, pero más tarde sí. Claro que algunas cavidades son pequeñas.

SRA. PUENTES Entonces, ¿cuántas veces tengo que venir?

DR. ALEGRÍA Puedo verla una vez a la semana. En unos dos o tres meses van a quedar sus dientes como nuevos.

SRA. PUENTES Bueno, doctor, hasta pronto.

DR. ALEGRÍA Hasta la vista, señora.

7 In the gym, Ernesto sees Rolando sitting on the sidelines.

ERNESTO ¿Qué te pasa, Rolando?

ROLANDO No me siento bien. Me duele un poco la cabeza.

ERNESTO Hombre, lo siento. Debes ir a la enfermería.

ROLANDO No, no creo que sea nada serio.

8 Alfredo is talking with his friend Roberto.

ALFREDO ¿Vas al partido del viernes?

ROBERTO Sí, pero no va a ser muy bueno.

ALFREDO ¿Por qué lo dices?

ROBERTO ¿No sabes que Fernando se cayó el otro día y se lastimó la muñeca?

ALFREDO No, hombre. Lo siento. ¿Cuándo pasó eso?

ROBERTO El domingo, cuando fuimos al Mirador a merendar. No es nada serio, pero el doctor le dijo que no podía jugar esta semana.

ALFREDO Pues tienes razón. Los Tigres juegan muy bien, y si Fernando no juega, que es el mejor del equipo, no podemos ganarles.

9 Mrs. Molina doesn't know her new neighbor, Mrs. Rivera, well, but wants to.

SRA. MOLINA Buenos días, señora Rivera. ¿Cómo está?

SRA. RIVERA Bien, gracias, ¿y usted?

SRA. MOLINA Yo bien. Pero ¿no sabe usted lo que le pasó al hijito menor de la señora Castañeda?

SRA. RIVERA No, no sé nada.

SRA. MOLINA Oh, tuvo un accidente terrible ayer por la tarde con la bicicleta nueva que sus padres le regalaron el día de su cumpleaños.

SRA. RIVERA ¿De veras? Cuénteme. ¿Cómo fué?

SRA. MOLINA A eso de las cinco Luisito venía tan alegre camino de su casa, cuando, al llegar a la bocacalle de la Avenida Real, pasó un coche muy de prisa, y muchacho y bicicleta cayeron . . .

SRA. RIVERA Pero bueno, y Luisito ¿cómo está? ¿Está herido?

SRA. MOLINA Lo malo es que los padres no estaban en casa, y no sabían qué hacer.

SRA. RIVERA Bueno, pero ¿lo llevaron al hospital?

SRA. MOLINA No, el chico está bien, pero de la bicicleta no quedó nada.

10 A policeman is questioning Mr. Salinas at the scene of the accident.

POLICÍA ¿Usted vió el accidente?

SR. SALINAS Sí, señor.

POLICÍA ¿Dónde estaba usted?

SR. SALINAS Salía del Banco Nacional.

POLICÍA ¿Qué hora era, poco más o menos?

SR. SALINAS Unos minutos antes de las tres. Y poco después, fuí a la tienda de al lado. Llamé al hospital y a la policía.

POLICÍA Está bien. ¿Cómo se llama usted, y dónde vive?

SR. SALINAS Francisco Salinas, calle Colón, 22.

POLICÍA ¿Y el teléfono?

SR. SALINAS 72 - 83 - 97.

POLICÍA Muchas gracias. Es todo lo que necesito.

11 Mr. Ruiz, who has just left his office, sees Mr. Pérez watching the unusual crowds on the street.

SR. RUIZ Oye, Pérez, ¿qué pasa, que hay tanta gente en la calle?

SR. PÉREZ Es la gente que está esperando ver el desfile. ¿No sabes que hoy llega a la ciudad el señor Villalón? Va a pasar por aquí en coche, con banda y todo.

SR. RUIZ Ah, sí, ahora me acuerdo. Lo leí en las noticias.

SR. PÉREZ Creo que de aquí siguen derecho hasta el Paseo Buenavista. ¿No vas a ver el desfile y escuchar la banda?

SR. RUIZ Sí, me gustaría verlo, pero no de pie y con este gentío. Lo podemos ver mejor en la televisión, ¿no crees?

12 Mr. Ríos stops his car in the town square and hails a stranger.

SR. RÍOS Por favor, ¿sabe usted la dirección de Luis Fernández?

SR. SALAS ¿Dijo Luis Hernández? No lo conozco.

SR. RÍOS No, el apellido es Fernández, y no Hernández.

SR. SALAS Ah, sí, el doctor Fernández, dentista. Ya no vive en el pueblo. Tiene una casa en el campo, cerca de aquí.

SR. RÍOS ¿Puede decirme cómo llegar allí?

SR. SALAS Siga derecho hasta salir al Camino Real. Allí doble a la izquierda. Es la tercera casa. Es un lugar muy bonito, con muchos pinos.

SR. RÍOS Muchas gracias. Adiós.

Topics for Reports

UN AMIGO ENFERMO

¿Quién es?
¿Cómo se siente?
¿Está en casa o en el hospital?
¿Por cuántos días tiene que guardar cama?
¿Cuándo piensas ir a verle?

Uno de mis amigos está enfermo * * *
* *
* *
* *
* *
* * * * * * * * * * * * * * * * * * * *

EL DENTISTA

¿Cuándo vas a ir?
¿Te duele un diente?
¿Cómo se llama el dentista?
¿Vas mucho al dentista?

Tengo que ir al dentista * * * * * * * *
* *
* *
* *
* *

UN ACCIDENTE

¿Fué serio el accidente?
¿Cuándo fué?
¿Dónde?
¿Hubo muchos heridos?

Leí una noticia de un accidente de
automóvil * * * * * * * * * * * * *
* *
* *
* *
* *

UNA ENFERMEDAD

¿Tienes catarro?
¿Tienes fiebre?
¿Qué te duele?
¿Vas al médico?
¿Crees que es serio?

No me siento bien hoy * * * * * * * * *
* *
* *
* *
* *
* *

EN EL HOSPITAL

¿Cuándo fué eso?
¿Cuántos días estuviste allí?
¿Fué serio lo que tenías?
¿Te sentías muy mal?

Una vez estuve en el hospital * * * *
* *
* *
* *
* *

At a Dance

1 "How pretty the room looks!

2 And notice how nice the lights are."

3 "Now they're beginning to play."

4 "Have Fred and Dorothy arrived?"

5 "I don't think so.

6 At least I haven't seen them."

7 "Who did Charley invite?"

8 "He said he was going to invite Beatrice."

9 "Rosalie, do you want to dance?"

10 "I'd like to.

11 The place is already pretty lively, isn't it?"

12 "Yes, it looks like there's going to be quite a crowd.

13 They say the singing group is wonderful."

14 "Look what a lovely dress!

15 Do you like Henrietta's hairdo?"

16 "Not much. It's too extreme."

17 "Who is that couple that dances so well?"

18 "They are Alfred's guests."

19 "The refreshments are on the table now."

20 "Well, shall we have something?"

En un baile

1 –¡Qué bonito está el salón!

2   Y fíjate qué bien están las luces.

3 –Ya empiezan a tocar.

4 –¿Han llegado Federico y Dorotea?

5 –Creo que no.

6 ˙Al menos, no los he visto.

7 –¿A quién ha invitado Carlitos?

8 –Dijo que iba a invitar a Beatriz.

9 –Rosalía, ¿vamos a bailar?

10 –Con mucho gusto.

11   Esto está ya muy animado, ¿no crees?

12 –Sí, parece que va a haber mucha gente.

13   Dicen que el grupo de cantantes es estupendo.

14 –¡Mira, qué vestido tan lindo!

15   ¿Te gusta el peinado de Enriqueta?

16 –No mucho.   Es muy exagerado.

17 –¿Quién es esa pareja que baila tan bien?

18 –Son los invitados de Alfredo.

19 –Los refrescos están ya en la mesa.

20 –Bueno, ¿vamos a tomar algo?

Question-Answer Practice

1 CHAVELA El salón está muy bonito, ¿verdad?
   CRISTINA Sí. ¡Qué bien están las luces!

2 JORGE ¿Han llegado Federico y Dorotea?
   ELISEO Creo que no. Al menos, no los he visto.

3 JOAQUÍN ¿A quién ha invitado Carlitos?
   EVARISTO Dijo que iba a invitar a Beatriz.

4 GRACIELA ¿Te gusta el vestido de Rosalía?
   VIRGINIA Sí. Es muy lindo.

5 JULIÁN ¿Vamos a bailar?
   ROSALÍA Con mucho gusto.

6 SR. RÍOS Esto está ya muy animado, ¿no cree usted?
   SR. SALAS Sí, parece que va a haber mucha gente.

7 SR. RAMÍREZ ¿Le gusta la orquesta?
   SR. MENDOZA Sí. Y también el grupo de cantantes es estu-
                pendo.

8 SRA. SALINAS ¿Le gusta a usted el peinado de Enriqueta?
   SRA. FERNÁNDEZ No mucho. Es muy exagerado.

9 SRA. MOLINA ¿Quién es esa pareja que baila tan bien?
   SRA. RIVERA Son los invitados de Alfredo.

10 SRA. JIMÉNEZ ¿Quiere usted tomar un refresco?
    SRA. CASTAÑEDA Sí. Vamos a tomar algo.

Pattern Practice

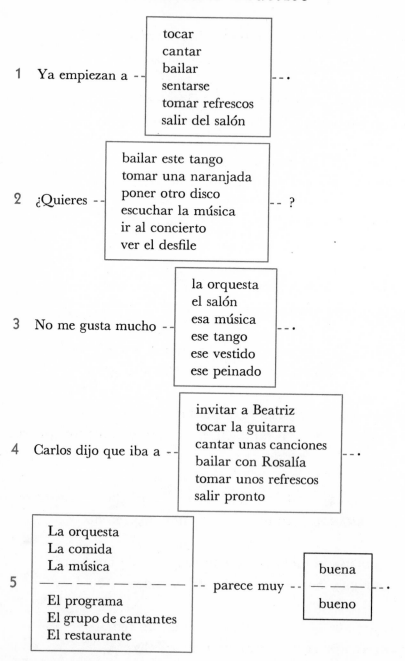

1 Ya empiezan a - -
tocar
cantar
bailar
sentarse
tomar refrescos
salir del salón
- -.

2 ¿Quieres - -
bailar este tango
tomar una naranjada
poner otro disco
escuchar la música
ir al concierto
ver el desfile
- - ?

3 No me gusta mucho - -
la orquesta
el salón
esa música
ese tango
ese vestido
ese peinado
- -.

4 Carlos dijo que iba a - -
invitar a Beatriz
tocar la guitarra
cantar unas canciones
bailar con Rosalía
tomar unos refrescos
salir pronto
- -.

5

La orquesta
La comida
La música
— — — — —
El programa
El grupo de cantantes
El restaurante

- - parece muy - -

buena
— — —
bueno

- -.

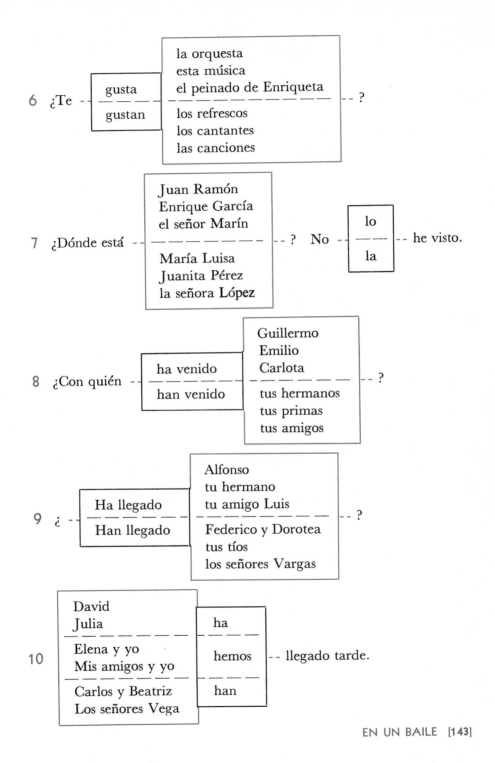

6 ¿Te — gusta / gustan — la orquesta / esta música / el peinado de Enriqueta / los refrescos / los cantantes / las canciones — ?

7 ¿Dónde está — Juan Ramón / Enrique García / el señor Marín / María Luisa / Juanita Pérez / la señora López — ? No — lo / la — he visto.

8 ¿Con quién — ha venido / han venido — Guillermo / Emilio / Carlota / tus hermanos / tus primas / tus amigos — ?

9 ¿ — Ha llegado / Han llegado — Alfonso / tu hermano / tu amigo Luis / Federico y Dorotea / tus tíos / los señores Vargas — ?

10 David / Julia / Elena y yo / Mis amigos y yo / Carlos y Beatriz / Los señores Vega — ha / hemos / han — llegado tarde.

Conversations

1 Ramón and Carlota are at the club dance.

CARLOTA ¡Qué bonito está el salón! Está ya muy animado, ¿no crees?

RAMÓN Sí. Parece que va a haber mucha gente esta noche. Dicen que el grupo de cantantes es estupendo.

CARLOTA ¿Crees que Federico y Dorotea están ya aquí?

RAMÓN Me parece que no. Al menos, no los he visto.

CARLOTA Ya empiezan a tocar.

RAMÓN ¿Quieres bailar?

CARLOTA Sí, con mucho gusto.

2 Federico and Dorotea arrive at the dance a little late.

DOROTEA ¡Qué buena es la orquesta, verdad?

FEDERICO Ya lo creo. ¿Quién es la muchacha que está con Carlitos?

CARLOTA No la he visto, pero debe ser Beatriz. Carlitos dijo que iba a invitarla. ¿Sabes quién es esa pareja que baila tan bien?

FEDERICO Sí. Son los invitados de Alfredo.

CARLOTA ¡Qué vestido tan lindo tiene!

FEDERICO ¿Quieres tomar algo? Los refrescos están ya en la mesa.

3 Julián has come to take Rosita to the dance, but she is not ready. He is greeted by her parents.

SRA. VARGAS Buenas noches, Julián.

JULIÁN Buenas noches, señora. ¿Cómo está usted?

SRA. VARGAS Mateo, aquí está Julián Martínez.

SR. VARGAS Mucho gusto.

JULIÁN El gusto es mío.

SRA. VARGAS En casa ¿todos bien?

JULIÁN Sí, señora, muy bien, gracias.

SRA. VARGAS Leí en las noticias que tu hermano Joaquín está pasando aquí unos días.

JULIÁN Sí, señora, llegó el jueves.

SRA. VARGAS Mateo, el hermano de Julián está en la Marina.

SR. VARGAS ¿De veras? Yo también estuve en la Marina. ¿Le gusta mucho?

JULIÁN Ya lo creo que sí.

SR. VARGAS Y Rosita ¿no está ya lista?

SRA. VARGAS Voy a llamarla.

SR. VARGAS ¿A qué hora empieza el baile, Julián?

JULIÁN A las ocho.

SR. VARGAS Pues ya son las ocho y cuarto.

SRA. VARGAS Ya pronto viene Rosita. Está terminando.

SR. VARGAS Oh, son todas lo mismo.

4 It is intermission time at the dance. Ricardo and María are leaving the floor.

RICARDO Allí están Julián y Rosita. ¿Quieres sentarte con ellos? Yo voy por los refrescos.

MARÍA Muy bien. Allí te espero. ¡Hola, Julián! Y tú, Rosita, ¡qué vestido tan bonito! Es nuevo, ¿verdad?

ROSITA Gracias. El tuyo también es muy lindo. Me gusta mucho tu peinado.

MARÍA ¿De veras te gusta? ¿Qué te parece la orquesta, Julián?

JULIÁN Muy bien. Y el baile también está muy animado. Pero ¿dónde está Ricardo?

MARÍA Fué por los refrescos. Mira, por allí viene.

RICARDO Aquí tienes, María. Tardé un poco más porque había mucha gente esperando.

JULIÁN Oye, Ricardo, ¿tienes el coche esta noche?

RICARDO No, mi hermano se lo llevó.

JULIÁN Pues yo tengo el mío. ¿Por qué no nos vamos juntos?

RICARDO Con mucho gusto.

JULIÁN Oye, Rosita, la orquesta ya está tocando. ¿Bailamos?

ROSITA Sí, ¡cómo no! Luego nos veremos, María.

MARÍA Sí, hasta pronto.

5 Pedro, his sister Cristina, and her friend Graciela are watching a TV show. Detective Morales, while pursuing the get-away car, reports to headquarters.

"Los cuatro bandidos salieron del Banco Nacional . . . Van en un coche negro . . . Ahora pasan por la Avenida Real . . . camino de la Venta del Pino . . . Llevan a una muchacha . . . No la veo bien . . . Parece Virginia."

CRISTINA Oh, su novia . . . la pobre.

GRACIELA Me gusta su peinado. Es casi lo mismo que el de Emilia.

CRISTINA Solamente que éste es más exagerado.

PEDRO Chicas, quiero oír lo que dicen, que ahora llegan a la venta.

CRISTINA Y fíjate que el vestido que lleva es como el mío.

GRACIELA Ah, sí, ¿el azul de dos tonos?

CRISTINA No, el que compré . . .

PEDRO ¡Cristina, por favor!, que se está terminando . . .

CRISTINA ¡Oh! Ya se terminó.

GRACIELA Y ¿qué le pasó a Virginia? ¿Llegó su novio a tiempo?

6 A small party is in full swing. Ernesto, waiting to change the record, talks with his friend Federico.

ERNESTO ¿Quieres jugar al boliche mañana? Creo que a Felipe y a Vicente les gustaría ir también.

FEDERICO Sí, ¡cómo no!

ERNESTO ¡Qué bien jugaste ayer! . . . Un momento. Ese disco ya se está terminando. Voy a poner otro. ¿Ahora quieres un tango?

FEDERICO No. Gloria y Ramón son los únicos que lo bailan bien. Mira, mejor pon éste, que todos podemos bailar. Lo oí el otro día en la estación ABC.

ERNESTO Está bien.

FEDERICO ¿Estos discos son todos tuyos?

ERNESTO No, muchos son de Gabriel. Él siempre está comprando.

FEDERICO ¿Sabes dónde los compra? Yo quiero comprar algunos.

ERNESTO Sí, en la Casa de Música. Estos discos dice que fueron una ganga. Claro que no todos son nuevos, pero son estupendos para bailar.

7 Rosita and Mariana stop by for refreshments on the way home.

ROSITA Aquí hay una mesa desocupada. ¿Nos sentamos?

MARIANA Sí, aquí está muy bien.

CAMARERO ¿Qué desean ustedes?

ROSITA Para mí una naranjada, por favor.

MARIANA	A mí tráigame una leche malteada. Ahora, Rosita, cuéntame cómo resultó el baile la otra noche. Sentí tanto no estar aquí ese día.
ROSITA	Sí que fué una lástima, porque fué el mejor del año.
MARIANA	Y tú ¿qué vestido llevaste? ¿El azul nuevo?
ROSITA	Sí, y ¡figúrate! a última hora encontré unos zapatos lindísimos del mismo color.
MARIANA	Y Rosalía ¿qué traje de noche llevó?
ROSITA	Uno de un tono oscuro muy bonito que compró en la tienda Novedades. Dijo que fué una ganga, pero lo dudo, porque tú sabes cómo son los precios allí.
MARIANA	¿Fué buena la orquesta?
ROSITA	Sí, y además, después de servir los refrescos, hubo un número de variedades. Manuel tocó muy bien la guitarra, una pareja cantó y bailó, y Eliseo, que es muy gracioso, contó unos cuentos muy divertidos.
MARIANA	Y Chavela ¿con quién fué?
ROSITA	Con Evaristo.
MARIANA	¿Quién es? No lo conozco.
ROSITA	Sí, chica, es el hermano mayor de Enriqueta. Debes conocerlo, porque viven en el mismo barrio que tú. Es la casa que tiene balcones.
MARIANA	Ah, sí, ya sé quién es. Pero no creí que estaba aquí.
ROSITA	Chica, tengo que darme prisa para no perder el autobús. Te voy a dar unos pesos para la cuenta.
MARIANA	No importa. Yo tengo bastante suelto.
ROSITA	Muy bien. Hasta mañana.

Topics for Reports

UN BAILE

¿Con quién fuiste?
¿Cómo fué la música?
¿A qué hora empezó?
¿Cuánto tiempo duró?
¿A qué hora llegaste a casa?

El baile de la semana pasada fué muy
bueno * * * * * * * * * * * * * * * * *
* *
* *
* *
* *
* *

UN PROGRAMA

¿Cuál fué el programa?
¿Cuándo lo viste?
¿Lo viste en colores?
¿Era bonito el salón?
¿Cómo eran los vestidos?

Vi un buen programa de baile en la
televisión * * * * * * * * * * * * * * * *
* *
* *
* *
* *

UNA INVITACIÓN

¿Cuándo va a ser?
¿En casa de quién?
¿Cuál es la dirección?
¿A qué hora empieza?

Quiero invitarte a una fiesta * * * * * * *
* *
* *
* *
* *

EN LA FIESTA

¿Han llegado todos los invitados?
¿Qué tal te parece la música?
¿Qué dicen del grupo de cantantes?
¿Cuándo van a cantar?

La fiesta ya está muy animada * * * * * *
* *
* *
* *
* *

LA FIESTA DE AYER

¿Con quién fuiste?
¿Había mucha gente?
¿Estaba muy animado?
¿Qué refrescos sirvieron?

La fiesta de ayer no resultó muy bien
* *
* *
* *
* *

THIRD REVIEW III

Reading and Conversational Practice

1

[Habla Ricardo.]   El desfile fué bueno, pero ¡qué gentío había en las calles! Yo estaba en la Avenida Real. Oía pasar las bandas, pero no podía verlas bien, ni mucho menos sacar fotos. Siento que no fuí a casa de Fernando para verlo desde su balcón, pues me dijo que desde allí ellos sacaron muchas fotos estupendas. Después tomaron refrescos y todos lo pasaron muy bien.

1   ¿Cómo fué el desfile?

2   ¿Dónde estaba Ricardo?

3   ¿Por qué no sacó fotos de las bandas?

4   ¿Desde dónde vió el desfile Fernando?

5   ¿Sacaron buenas fotos?

6   ¿Cómo lo pasaron después?

2

[Habla Carlos.]   La verdad, que no lo pasé muy bien el día de la merienda. Salí un poco más tarde que ellos, porque mi reloj andaba atrasado. Con mi bicicleta, que no es buena, no podía ir muy de prisa. Al llegar al primer cruce del camino, doblé a la izquierda y me perdí, y tardé mucho tiempo en encontrarlos. Cuando llegué a la Venta del Pino, ya estaban todos merendando, y quedaba poca comida. ¡Y yo que tenía tanta hambre! Poco después José empezó a tocar la guitarra, y todos cantaron unas canciones que yo no sabía. ¡Bonito día de campo!

1   ¿Cómo lo pasó Carlos el día de la merienda?

2   ¿Por qué salió tarde?

3   ¿Por qué no podía ir de prisa con su bicicleta?

4   ¿Dónde se perdió?

5   ¿Cuánto tiempo tardó en encontrarlos?

6   ¿Qué hacían cuando él llegó a la venta?

7   ¿Quién tocó la guitarra?

8   ¿Qué cantaron todos?

3

[Habla Ramón.]   Al salir del partido del viernes, Diego y yo fuimos a tomar unos refrescos, al sitio de siempre.   Nos gusta ir allí, porque hacen muy bien las leches malteadas.   Había mucha gente, y tuvimos que esperar más de un cuarto de hora hasta encontrar una mesa desocupada. Pero pronto pasó el tiempo, porque otros amigos estaban también esperando, y nos pudimos sentar todos juntos.

1 ¿Qué día fué el partido?
2 ¿Con quién fué Ramón?
3 ¿A dónde fueron a tomar unos refrescos?

4 ¿Por qué les gusta ir allí?
5 ¿Cuánto tiempo tuvieron que esperar?
6 ¿Por qué pasó pronto el tiempo?

4

[Habla Alberto.]   El ensayo esta tarde resultó nada más que regular. Mariana hacía muy bien su papel, pero Arturo no sabía el suyo.   Yo estudié el mío, pero como estaba algo nervioso, no me acordaba de nada. Julián, que es el mejor de todos, está en cama con fiebre.   Menos mal que todavía faltan unos días para el estreno, y espero que ese día resulte todo mejor.

1 ¿Cómo resultó el ensayo?
2 ¿Cómo hacía su papel Mariana?
3 ¿Sabía Arturo su papel?

4 ¿Cómo estaba Alberto?
5 ¿Dónde estaba Julián?
6 ¿Falta mucho para el estreno?

5

[Habla Anita.]   Yo siempre compro mis discos en una tienda muy buena del centro que se llama Casa de Música.   Me gusta, sobre todo, porque tiene un sitio muy bueno para poner los discos y escucharlos. También hay una chica muy simpática que siempre me sirve muy bien. Para ir a la tienda, tomo el autobús 12 hasta la calle Colón.   Allí hay que doblar a la izquierda, y está en la primera bocacalle, al lado del Banco Nacional.

1 ¿Dónde compra los discos Anita?
2 ¿Por qué le gusta esa tienda?
3 ¿Cómo es la chica que la sirve?

4 ¿Qué autobús toma para ir allí?
5 ¿En qué calle hay que doblar?
6 ¿Dónde queda la Casa de Música?

6

[Habla Luis.]   Con este mal tiempo, hay mucha gente enferma. Ayer Antonio me dijo que iba a ver al médico porque no se sentía bien. También Andrés ha estado enfermo toda la semana. Mi hermana ya está mejor del catarro, pero estuvo dos días con fiebre. Yo, hasta ahora, he estado bien, pero veremos cuánto dura.

1 ¿Qué tiempo hace?
2 ¿A dónde iba ayer Antonio?
3 ¿Por qué iba Antonio a ver al médico?

4 ¿Cuánto tiempo ha estado enfermo Andrés?
5 ¿Qué tiene la hermana de Luis?
6 ¿Cuántos días estuvo con fiebre?

7

[Habla Elena.]   Fuí al baile con Felipe. Tenían buena orquesta, y estuvo muy animado. Había muchos vestidos muy lindos. El de María le quedaba muy bien, pero tenía un peinado muy exagerado. El grupo de cantantes nos gustó mucho. Sobre todo, uno de ellos que cantó unas canciones muy alegres. A la hora de los refrescos, nos sentamos con un grupo de amigos, y lo pasamos muy bien. Los invitados de Alfredo era una pareja muy simpática.

1 ¿Con quién fué Elena al baile?
2 ¿Cómo era la orquesta?
3 ¿Cómo era el peinado de María?

4 ¿Les gustó el grupo de cantantes?
5 ¿Con quiénes se sentaron?
6 ¿Cómo lo pasaron?

8

[Habla Paco.]   Mi hermano y yo ayer tuvimos un accidente de automóvil. Íbamos por el Paseo Buenavista cuando, al llegar a la bocacalle de la Avenida Real, un coche que venía muy de prisa por el otro lado de la bocacalle dobló a la izquierda cuando menos lo pensábamos. Mi hermano, el pobre, está en el hospital, con la cabeza y el brazo vendados. En el otro coche no hubo heridos.

1 ¿Cuándo tuvo Paco el accidente?
2 ¿Por qué calle iban?
3 ¿Cómo venía el otro coche?

4 ¿Por dónde venía?
5 ¿En qué bocacalle dobló?
6 ¿Dónde está el hermano?
7 ¿Hubo otros heridos?

9

[Habla Tomás.]   Esta mañana me caí en la escalera y me rompí un diente.   No me duele mucho, pero tengo que ir al dentista para ver qué dice.   Lo malo es que él no puede verme hasta mañana, porque hoy no está en la ciudad.   Y mañana es cuando pensábamos ir al campo.

1 ¿Cuándo se cayó Tomás?
2 ¿Dónde se cayó?
3 ¿Qué se rompió?
4 ¿Le duele el diente?

5 ¿Por qué tiene que ir al dentista?
6 ¿Por qué no puede verlo hoy?
7 ¿A dónde pensaban ir?

10

[Habla Julia.]   Ayer me compré un vestido azul lindísimo, y me queda divinamente.   Es de dos tonos muy bonitos.   Lo compré en la tienda Novedades, y fué una ganga.   Lo quiero para ir a la fiesta del sábado que viene.   Lo malo es que ahora tengo que comprarme unos zapatos nuevos, porque los que tengo son de otro tono.

1 ¿Qué compró Julia?
2 ¿Cómo le queda el vestido?
3 ¿Dónde lo compró?

4 ¿Para qué quiere el vestido?
5 ¿Qué tiene que comprar ahora?
6 ¿Por qué los necesita?

An Outing

1 "We're planning to go to the lake this afternoon.
2   Do you want to go with us?"
3 "Sure. What should I take?"
4 "Everyone's taking his own lunch.
5   Edmund will take care of the drinks."

6 "What time do we leave?"
7 "We'll leave here around three o'clock.
8   I'll go by for you and also for Sylvia.
9   The others are going in Andy's car."

10 "Want me to take my radio?"
11 "Sure; good idea.
12   And don't forget your bathing suit.
13   Naturally, everybody wants to swim."

14 "You can rent boats there, can't you?"
15 "Sure! All you want."
16 "I've heard it's a fine place to fish."
17 "Wonderful. One of the best.
18   You see fish there, this big . . ."
19 "Then I'll take my fishing gear."
20 "With a little luck you can catch a lot."

Una excursión

1 –Esta tarde pensamos ir al lago.

2 ¿Quieres ir con nosotros?

3 –Sí, ¡cómo no! ¿Qué tengo que llevar?

4 –Cada uno lleva su merienda.

5 Edmundo se encargará de las bebidas.

6 –¿A qué hora vamos a salir?

7 –Saldremos de aquí a eso de las tres.

8 Iré a buscarte a ti y también a Silvia.

9 Los otros van en el coche de Andrés.

10 –¿Quieres que lleve la radio?

11 –Sí, hombre, muy buena idea.

12 Y no olvides el traje de baño.

13 Por supuesto que todos quieren nadar.

14 –Se pueden alquilar botes allí, ¿verdad?

15 –Ya lo creo. Todos los que quieras.

16 –He oído que es un buen sitio para pescar.

17 –Sí, magnífico. Uno de los mejores.

18 Se ven allí peces así de grandes.

19 –Entonces llevaré mis avíos de pesca.

20 –Con un poco de suerte, se puede pescar mucho.

Question-Answer Practice

1 PEDRO ¿Quieres ir esta tarde al lago?
  TOMÁS Sí, ¡cómo no!

2 RICARDO ¿Qué tengo que llevar?
  MAURICIO Cada uno lleva su merienda.

3 NACHO ¿Puedes ir a buscarme?
  EUGENIO Sí. Iré a buscarte a ti y también a Silvia.

4 CELIA ¿A qué hora vamos a salir?
  BELITA Saldremos de aquí a eso de las tres.

5 EMA ¿Con quién va Belita?
  BEATRIZ Con Edmundo. Los otros van en el coche de Andrés.

6 RAMÓN ¿Quieres que lleve la radio?
  GABRIEL Sí, hombre, muy buena idea.

7 BERTA ¿Por supuesto vamos a nadar?
  CRISTINA Sí. No olvides el traje de baño.

8 JULIO ¿Se pueden alquilar botes allí?
  ANDRÉS Sí, todos los que quieras.

9 ALFREDO ¿Piensas llevar tus avíos de pesca?
  GUILLERMO Sí, porque con un poco de suerte, se puede pescar
              mucho.

10 ANTONIO ¿Te parece buen sitio para pescar?
   EDMUNDO Sí, magnífico. Uno de los mejores.

Pattern Practice

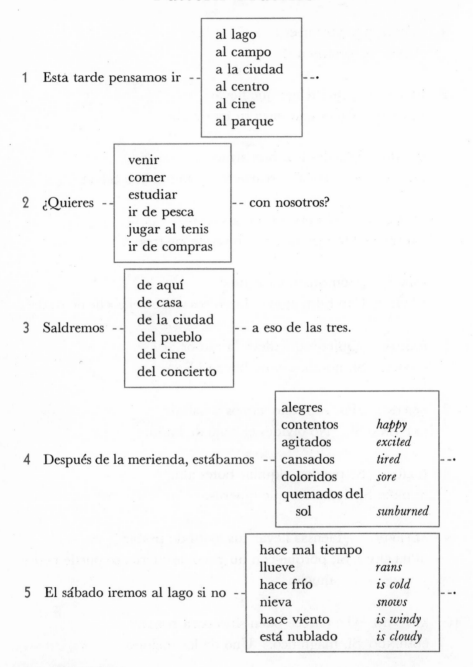

1 Esta tarde pensamos ir --|
|
| al lago
| al campo
| a la ciudad
| al centro
| al cine
| al parque
|-- .

2 ¿Quieres --|
| venir
| comer
| estudiar
| ir de pesca
| jugar al tenis
| ir de compras
|-- con nosotros?

3 Saldremos --|
| de aquí
| de casa
| de la ciudad
| del pueblo
| del cine
| del concierto
|-- a eso de las tres.

4 Después de la merienda, estábamos --|
| alegres
| contentos   *happy*
| agitados   *excited*
| cansados   *tired*
| doloridos   *sore*
| quemados del
| sol   *sunburned*
|-- .

5 El sábado iremos al lago si no --|
| hace mal tiempo
| llueve   *rains*
| hace frío   *is cold*
| nieva   *snows*
| hace viento   *is windy*
| está nublado   *is cloudy*
|-- .

6   Si vamos al lago, llevaré --

los avíos de pesca	
el traje de baño	
la radio	
las bebidas	
un termo	*thermos*
mi cámara	*camera*

-- .

7   Allí se pueden alquilar --

botes	
avíos de pesca	
trajes de baño	
radios	
bicicletas	
caballos	*horses*

-- .

8   No olvides --

el traje de baño	
la cámara	
el termo	
el agua helada	*ice water*
la cesta de merienda	*picnic basket*
los lentes ahumados	*sunglasses*

-- .

9   ¿Quieres que lleve --

| las bebidas |
| los avíos de pesca |
| la cámara |
| la radio |
| el tocadiscos |
| la guitarra |

-- ?

10

Andrés Edmundo	irá
Raúl y yo Belita y yo	iremos
Paco y Alberto Amalia y Vicente	irán

-- a buscarte a ti y también a Silvia.

Conversations

1 Eugenio and Nacho make plans for an outing.

EUGENIO Nacho, esta tarde pensamos ir al lago. ¿Quieres ir con nosotros?

NACHO Sí, ¡cómo no! ¿Qué tengo que llevar?

EUGENIO Cada uno lleva su comida, y Edmundo se encargará de las bebidas.

NACHO ¿A qué hora vamos a salir?

EUGENIO A eso de las tres. Iré a buscarte a ti y también a Silvia.

NACHO ¿Quieres que lleve la radio?

EUGENIO Sí, hombre, muy buena idea. Y no olvides el traje de baño.

NACHO ¿Se pueden alquilar botes allí?

EUGENIO Ya lo creo. Todos los que quieras.

NACHO He oído que es buen sitio para pescar.

EUGENIO Sí. Magnífico. Se ven allí peces así de grandes. Con un poco de suerte, se puede pescar mucho.

NACHO ¡Qué bien! Estaré listo a las tres.

2 Mauricio is swimming in the lake. He sees his friend on the dock.

MAURICIO Hola, Ricardo, ¿qué haces ahí que no vienes a nadar?

RICARDO Vine con idea de pescar, pero chico, no he tenido suerte. Pesqué uno solamente, y bien pequeño. Y el agua ¿qué tal está para nadar?

MAURICIO Magnífica. Ponte el traje de baño y verás.

RICARDO Pero si no lo tengo aquí.

MAURICIO Eso no importa. Puedes alquilar uno.

RICARDO ¿Dónde?

MAURICIO En el mismo sitio donde están los botes. Date prisa, que ya se hace tarde.

3 Mrs. Cruz is serving early breakfast to Pedro while his sister and her house
guest are still asleep.

SRA. CRUZ Hoy vas al lago, ¿verdad?

PEDRO Sí, Tomás y yo pensamos ir a pescar.

SRA. CRUZ ¿No crees que a tu hermana y a su amiga les gustaría ir
también al lago?

PEDRO ¡Pero, mamá! Nosotros vamos a pescar, y ¿qué van
a hacer allí dos chicas todo el día? Ya sabes cómo
es Cristina, siempre diciendo: "No hagas eso, no
hagas lo otro. ¡Pobrecitos peces! Ya es tarde.
¿Cuándo nos vamos?" ¡Es una lata!

SRA. CRUZ Sí, pero ellas lo que quieren es nadar y sacar unas fotos.

PEDRO Pero, mamá . . .

SRA. CRUZ Aquí tengo ya una buena merienda para todos. Tu
hermana y Graciela lo pasarán tan bien en el lago.
Estoy casi segura que esta noche también puedes
tener el coche.

4 Mr. Estrada and Mr. Contreras have just gotten off the evening commuters'
train.

SR. ESTRADA Hoy llegamos muy atrasados. Ya son casi las seis.

SR. CONTRERAS Allí veo a Florencia. La pobre, más de media
hora esperando.

SR. ESTRADA Yo no veo a Irene. Oh, ahora me acuerdo que
hoy iba a llevar a los chicos al lago. Pero tomo
el autobús, que pasa muy cerca de mi casa.

SR. CONTRERAS Hombre, no tome el autobús, le llevamos en
nuestro coche.

SR. ESTRADA No, gracias. No está en su camino. Ustedes
viven al otro lado del parque, ¿verdad?

SR. CONTRERAS No importa. No queda muy lejos.

SR. ESTRADA Pues muchas gracias.

SR. CONTRERAS ¡Hola, Florencia! La señora de mi amigo Estrada
no pudo venir hoy a buscarlo. Nosotros vamos
a llevarle a su casa.

SRA. ESTRADA Ya lo creo. Con mucho gusto.

UNA EXCURSIÓN [159]

5 Returning home from their vacation trip, Mrs. Alba spells her husband at the wheel while he looks over the paper.

SRA. ALBA ¿Qué hora tiene tu reloj?

SR. ALBA Faltan diez minutos para las cinco.

SRA. ALBA ¿A qué hora crees que llegaremos a Los Altos?

SR. ALBA A eso de las cinco y media.

SRA. ALBA ¡Sólo tres días más de vacaciones! ¡Qué pronto se terminan! ¿Crees que estaremos en casa para el día siete?

SR. ALBA ¿Por qué no?

SRA. ALBA Es verdad que hasta ahora hemos tenido buen tiempo.

SR. ALBA Sí, muy poca lluvia.

SRA. ALBA Ya que estás leyendo, ¿por qué no me cuentas las noticias?

SR. ALBA Muy bien. Esta semana los Tigres ganaron a los Leones. Deben tener buen equipo. Según dice aquí, el partido duró casi tres horas. Juegan otra vez el sábado que viene.

SRA. ALBA Eso está bien, pero no son ésas las noticias que yo quiero saber.

SR. ALBA Bueno. Otras noticias. Un accidente de automóvil bastante serio en el cruce del camino cerca del pueblo Los Altos. Hubo cuatro o cinco heridos. Uno de ellos cayó a treinta pies del camino, y ¡figúrate! no se lastimó el cuerpo. Solamente se rompió unos dientes.

SRA. ALBA Por favor, no más de esas noticias, que me ponen un poco nerviosa.

SR. ALBA Tienes razón, pero no sé qué noticias contarte.

SRA. ALBA ¿No has leído nada del estreno de la película "Lluvias de otoño"? Porque estoy leyendo el libro y me gusta mucho. Quiero saber cómo Antonio Guzmán estaba en su papel.

SR. ALBA No, no lo he leído, y no puedo leer más porque ya me duele la cabeza. ¿Por qué no ponemos la radio para escuchar un poco de música?

6 The picnic is over. It's time to go home.

BELITA No encuentro mis lentes ahumados. ¿Alguien los ha visto?

SILVIA No, pero sé que los tenías cuando estabas en el bote.

EDMUNDO Yo tampoco los he visto. Pero ¿de quién es esta cesta y el termo?

BERTA Son de Andrés. Ponlos en su coche, por favor.

CELIA Oh, Silvia, mira tus brazos ¡qué quemados!

SILVIA Pues es verdad. Pero no me duelen.

CELIA Aquí tengo algo bueno que puedes ponerte.

BELITA Todavía no he encontrado mis lentes. No estaban en el bote.

CELIA Yo no los he visto. Mira en las cestas que están en el coche de Andrés.

ANDRÉS Tú, Nacho, ¿por qué no vienes con nosotros, ya que Belita tiene prisa en llegar a su casa, y se va en el coche de Eugenio.

NACHO Gracias. Entonces voy a buscar mis avíos de pesca, que están en su coche.

ANDRÉS ¿Y qué, tuviste suerte?

NACHO Oh, sí, chico. Pesqué dos bastante grandes.

BERTA ¿Dónde está Edmundo?

ANDRÉS Ya se fué con Eugenio y Belita.

BERTA Pues entonces, Andrés, mira si todo está en el coche. Date prisa porque tardaremos una media hora en llegar.

ANDRÉS Y estos lentes ¿de quién son?

CELIA Oh, de la pobre Belita, que pasó la tarde buscándolos. Ya se fué en el coche de Eugenio.

ANDRÉS Parece que alguien se ha sentado en ellos, pero se los llevaré.

Topics for Reports

UNA EXCURSIÓN

¿A dónde piensan ir?
¿Quiénes van?
¿A qué hora van a salir?
¿Qué tiene que llevar cada uno?

Pensamos ir de excursión este fin de
semana * * * * * * * * * * * * * * * * * * *
* *
* *
* *
* *

DE PESCA

¿Vas mucho de pesca?
¿Sabes de un buen sitio?
¿Dónde está?
¿Cómo son los peces allí?

Me gusta mucho pescar * * * * * * * * * *
* *
* *
* *
* *

EL LAGO

¿Con quiénes fuiste?
¿Cómo llegaron allí?
¿Estaba buena el agua para nadar?
¿Cuándo llegaste a casa?

Fuimos al lago la semana pasada * * *
* *
* *
* *
* *

UNA MERIENDA

¿Cómo es el sitio?
¿Qué vas a llevar?
¿Quién se encarga de las bebidas?
¿A qué hora vamos a salir?

Vamos a merendar en el campo * * * * *
* *
* *
* *
* *

VAMOS A NADAR

¿Sabes de un buen sitio?
¿Está cerca de aquí?
¿Cómo es el agua?
¿Hay mucha gente allí?

Nado mucho en el verano * * * * * * * * *
* *
* *
* *
* *

On the Telephone

1 "Hello!"
2 "Is Anthony at home?"
3 "What's that?   I can't hear you."
4 "May I speak to Anthony?"
5 "Who's calling?"
6 "Vincent Ríos, a friend of his."
7 "Just a minute.   I'll call him."

8 "Hello, Vincent!   What's new?"
9 "Are you doing anything tonight?
10   John and Louis are going to the movie, *The Pirate*.
11   And they want us to go with them."
12 "Fine!   I've heard it's very good."
13 "I'll tell them to expect us at seven."
14 "That's all right with me."

15 "Maybe Daniel would like to go, too."
16 "All right.   Want me to call him?"
17 "No, I'm going to see him now."
18 "Then I'll come by for you at six thirty."
19 "Thanks.   We'll be ready when you get here."
20 "All right.   See you later."

Al teléfono

1 –¡Diga!
2 –¿Está en casa Antonio?
3 –¿Qué dice?   No oigo bien.
4 –¿Puedo hablar con Antonio?
5 –¿De parte de quién?
6 –Vicente Ríos, amigo suyo.
7 –Un momento.   Voy a llamarlo.

8 –¡Bueno, Vicente!   ¿Qué hay de nuevo?
9 –¿Tienes esta noche libre?
10   Juan y Luis van a ver la película "El Pirata".
11   Y quieren que vayamos con ellos.
12 –¡Magnífico!   He oído que es muy buena.
13 –Les diré que nos esperen a las siete.
14 –Me parece muy bien.

15 –Tal vez a Daniel le gustaría ir también.
16 –Bueno.   ¿Quieres que le llame?
17 –No, yo lo voy a ver ahora.
18 –Entonces pasaré por ti a las seis y media.
19 –Gracias.   Estaremos listos cuando llegues.
20 –Bueno, hasta luego.

Question-Answer Practice

1 TOMÁS ¿Puedo hablar con Antonio?
EUGENIO Un momento. Voy a llamarlo.

2 FELIPE ¿Dices que Juan y Luis van al cine?
ROGELIO Sí, y quieren que vayamos con ellos.

3 LUISA ¿Es buena la película?
PILAR He oído que es muy buena.

4 LUPE ¿Quiere ir Beatriz?
ANDREA Sí, tal vez a ella le gustaría ir.

5 SILVIA ¿Quieres que llame a María?
AMALIA No, yo la voy a ver ahora.

6 JORGE ¿A qué hora nos esperan Vicente y Daniel?
MIGUEL Les diré que nos esperen a las siete.

7 RICARDO ¿Te parece bien que vayamos con ellos?
MAURICIO Sí, me parece muy bien.

8 ANDRÉS ¿Puedes pasar por mi casa?
FERNANDO Sí. Pasaré por ti a las seis y media.

9 SR. RAMOS ¿Quiere usted que llame a los Vegas?
SR. GUERRERO No, los voy a ver ahora.

10 SR. TORRES ¿Le parece bien las siete y media?
SR. MONTALBÁN Sí. Estaremos listos.

Pattern Practice

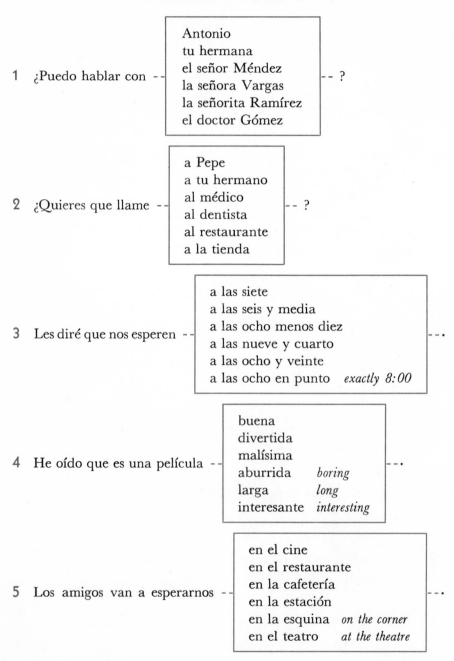

1 ¿Puedo hablar con
Antonio
tu hermana
el señor Méndez
la señora Vargas
la señorita Ramírez
el doctor Gómez
?

2 ¿Quieres que llame
a Pepe
a tu hermano
al médico
al dentista
al restaurante
a la tienda
?

3 Les diré que nos esperen
a las siete
a las seis y media
a las ocho menos diez
a las nueve y cuarto
a las ocho y veinte
a las ocho en punto *exactly 8:00*
.

4 He oído que es una película
buena
divertida
malísima
aburrida   *boring*
larga   *long*
interesante *interesting*
.

5 Los amigos van a esperarnos
en el cine
en el restaurante
en la cafetería
en la estación
en la esquina *on the corner*
en el teatro *at the theatre*
.

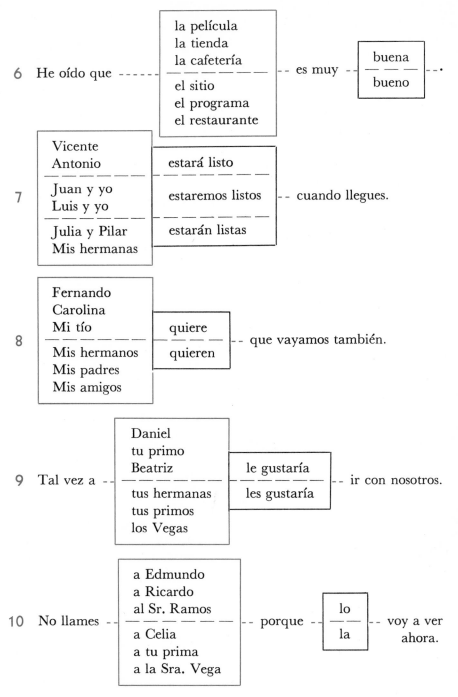

6 He oído que ----- | la película / la tienda / la cafetería / el sitio / el programa / el restaurante | -- es muy -- | buena / bueno | --.

7 | Vicente / Antonio / Juan y yo / Luis y yo / Julia y Pilar / Mis hermanas | estará listo / estaremos listos / estarán listas | -- cuando llegues.

8 | Fernando / Carolina / Mi tío / Mis hermanos / Mis padres / Mis amigos | quiere / quieren | -- que vayamos también.

9 Tal vez a -- | Daniel / tu primo / Beatriz / tus hermanas / tus primos / los Vegas | le gustaría / les gustaría | -- ir con nosotros.

10 No llames -- | a Edmundo / a Ricardo / al Sr. Ramos / a Celia / a tu prima / a la Sra. Vega | -- porque -- | lo / la | -- voy a ver ahora.

Conversations

1 Vicente calls Antonio.   Antonio's sister answers.

PILAR   ¡Diga!

VICENTE   ¿Está en casa Antonio?

PILAR   ¿Qué dice?   No oigo bien.

VICENTE   ¿Puedo hablar con Antonio?

PILAR   Lo siento, pero Antonio no está en casa.   ¿Quién habla, por favor?

VICENTE   Vicente Ríos, muy amigo de Antonio.

PILAR   Ah, ¿sí?   Le diré que le llame tan pronto como llegue.

VICENTE   Muchas gracias, señorita.

2   Back home again, Antonio calls Vicente.

ANTONIO   ¡Hola, Vicente!   ¿Qué hay de nuevo?

VICENTE   ¿Tienes que hacer algo esta noche?

ANTONIO   No, nada de particular.

VICENTE   Pues Juan y Luis van a ver la película "El Pirata", y quieren que vayamos con ellos.

ANTONIO   Magnífico.   He oído que es muy buena.

VICENTE   Les diré que nos esperen a las siete.

ANTONIO   Me parece muy bien.

VICENTE   Entonces pasaré por ti a las seis y media.

ANTONIO   Bueno, estaré listo cuando llegues.

VICENTE   Hasta luego.

3   Lupe is at the home of her friend Andrea.   They plan to see a movie.

LUPE   ¿Sabes a qué hora empieza?   Carolina dice que si llegamos tarde, la película no tiene gracia.

ANDREA   Tienes razón.   ¿Por qué no llamas al cine para saber a qué hora?

LUPE   Mejor será . . .
[Señorita, ¿hace el favor de decirme a qué hora empieza la película "¿Quién soy yo?"? . . .   ¿Dice que a las dos y veinte, a las cuatro y diez . . . y a las seis?   Está bien. Muchas gracias.]
Entonces, Andrea, ¿quieres ir a las dos, o a las cuatro?

ANDREA　La primera es mejor para mí, porque esta noche mis tíos van a comer con nosotros.　Pero ¿crees que vamos a tener tiempo?

LUPE　Sí, hay un autobús que pasa por aquí cada diez minutos.

4　It's 2:00 A.M. Sunday morning.　Mr. Ramírez is awakened by the phone.

SR. RAMÍREZ　¡Las dos de la mañana!　¿Quién será a estas horas? . . . ¿Con quién hablo?

SR. GUERRERO　Quiero hablar con el señor Cavazos.

SR. RAMÍREZ　Aquí no vive ese señor.

. . . . .

SR. RAMÍREZ　¡Otra vez!　De seguro que es el mismo . . .　¡Bueno!

SR. GUERRERO　¿Vive ahí el señor Cavazos?

SR. RAMÍREZ　Ya le dije a usted que aquí no vive.　Antes de llamar a estas horas, debe estar seguro del número.　¿Qué número quiere?

SR. GUERRERO　El 57 - 78 - 85.　Lo estoy mirando aquí.

SR. RAMÍREZ　Pues mírelo otra vez, porque éste es el 57 - *87*, pero no el *78*, como dijo usted.

SR. GUERRERO　Lo siento.

5　All planes are grounded at the airport.　Mr. Ramos calls his wife.

SR. RAMOS　Hola, Antonia.　Te llamo para que no me esperes esta noche.

SRA. RAMOS　¿Qué dices?　No oigo bien.　¿Desde dónde llamas? ¿Estás bien?

SR. RAMOS　Estoy todavía en Nueva York.　Te llamo para que no me esperes esta noche.　Hace muy mal tiempo, y no puedo salir de aquí hasta mañana.

SRA. RAMOS　Y ¿cuándo crees que llegarás?

SR. RAMOS　Creo que mañana por la tarde, a las tres o a las seis y media.

SRA. RAMOS　Entonces ¿llamo a los Castañedas para decirles que no podemos ir con ellos a la fiesta?

SR. RAMOS　No, espera hasta mañana.　Estoy casi seguro que llegaré a tiempo.　Pero si no, te llamaré . . .　¿Cómo está el catarro de Fernandito?

SRA. RAMOS　Ya está bien.　Hoy quería ir con sus amigos a nadar.

SR. RAMOS　Bueno, Antonia, hasta mañana.

SRA. RAMOS　Que todo vaya bien.　Adiós.

6 The hospital receptionist answers the phone.

SRTA. VÁZQUEZ Buenas tardes.   Hospital Buenavista.

SRA. ZAPATA ¿Puedo hablar con mi amiga Antonia Gutiérrez?

SRTA. VÁZQUEZ Espere un momento, por favor.   Voy a ver . . .
Lo siento, la señora Gutiérrez no tiene teléfono.
Pero está bastante bien.

SRA. ZAPATA ¿Cómo pasó la noche?

SRTA. VÁZQUEZ Eso no lo sé.

SRA. ZAPATA ¿Está comiendo bien?

SRTA. VÁZQUEZ Tampoco lo sé.

SRA. ZAPATA ¿Todavía tiene fiebre?

SRTA. VÁZQUEZ Eso no puedo decirle.

SRA. ZAPATA ¿Cuándo sale del hospital?

SRTA. VÁZQUEZ Señora, puede usted venir a verla por la tarde, de
dos a cuatro, y por la noche, de siete a ocho.

7 Gloria, who is ill at home, calls Celia to find out how the picnic went.

CELIA Oh, ¿eres tú, Gloria?   ¿Cómo estás?

GLORIA Mejor.   Te llamo para saber cómo resultó la merienda.

CELIA Oh, estupendamente.   Pero todos sentimos no verte.

GLORIA Pues cuéntame.   ¿Quiénes fueron?

CELIA Los de siempre.   Yo fuí en el coche de Andrés con Belita
y Edmundo.   Cada uno llevaba su merienda, y el
bueno de Edmundo, como siempre, se encargó de las
bebidas.

GLORIA ¿Estaba buena el agua para nadar?

CELIA Sí.   Algunos fueron a nadar, y otros alquilamos unos
botes.   Y Nacho, que como sabes le gusta tanto pescar,
llevó todos sus avíos.

GLORIA ¿Y pescó mucho?

CELIA Sí, dos peces bastante grandes.   Creo que todos lo pasaron
muy bien.   Solamente la pobre Silvia tiene los brazos
muy quemados del sol.   Y Belita perdió sus lentes nuevos.

GLORIA ¿Sacaste fotos?   Porque es un sitio tan bonito.

CELIA Sí, algunas.   Ojalá que salgan bien, porque quiero que
las veas.   Pero dime ¿cuándo vas a poder salir de casa?

GLORIA No sé, ya no tengo fiebre, pero el médico quiere que me
quede en cama unos días . . .   Bueno, Celia, otro día
hablaremos más.

CELIA Sí, te llamaré pronto.   Que te mejores.

8 Elena meets Anita, who has just returned from a visit with her uncle and aunt in the big city.

ELENA ¿Lo pasaste bien en la ciudad?

ANITA Oh, sí, lo pasé estupendamente. ¿Conoces el programa de variedades "El Salón de Música"?

ELENA Seguro. Lo veo casi todas las semanas.

ANITA Pues mi tío me llevó a verlo.

ELENA ¿De veras? Cuéntame. ¿Cómo es?

ANITA Claro que no es lo mismo que verlo en la televisión. Allí se ven todos los que están encargados de las luces, cámaras, relojes, papeles . . . Mucho más animado. Esa noche había mucha gente. Y antes de empezar, siempre ensayan parte del programa. El grupo de cantantes ensayaron dos o tres veces la misma canción.

ELENA ¿Qué te pareció Julio Montalbán visto de cerca?

ANITA Por supuesto es bien parecido, pero no tanto como yo creía.

ELENA ¿De veras? Y María Torres ¿es tan bonita como parece en la televisión?

ANITA Pues no sé qué decirte. Ella es bonita, pero ese día tenía un peinado que no me gustaba nada. Pero lo que tenía más ganas de ver eran los trajes, que siempre son lindos y le quedan divinamente.

ELENA ¡Cómo me gustaría verlo! Porque los colores en la televisión nunca salen tan bien.

ANITA Sí, es verdad. A veces los tonos son exagerados. Lo que me gustó mucho también fué el número de Carlos y Carlota, sobre todo cuando bailan juntos.

ELENA Oh, sí, hacen una pareja estupenda. Y ese muchacho tan alegre que cuenta los cuentos ¿es tan gracioso como parece en la televisión?

ANITA No tanto, porque se ve que está leyendo. Yo creo que está mejor en las películas policíacas. Pero el que tiene mucha gracia es el que va y viene con la bicicleta, con sus zapatos tan grandes. Esa noche se cayó dos o tres veces por la escalera. Es de lo más divertido. Y parece muy simpático.

ELENA ¿Y toda esa gente estaba en el mismo salón?

ANITA Sí. Y cuando llegó la banda, y empezaron el desfile, figúrate el gentío que allí había.

9 Mrs. Rivas gives marketing instructions to her maid.

SRA. RIVAS Josefa, vaya usted a la compra. Hoy no necesitamos mucho. Compre cordero si está a buen precio, y si no, cuatro filetes de ternera que sean buenos, y dos pollos, porque esta noche tenemos invitados. Los quiero como el que comimos asado el otro día, que estaba delicioso. Al mediodía comeremos en el restaurante. ¿Necesitamos alguna legumbre más?

JOSEFA No, señora, tenemos bastantes. Pero sí necesitamos leche, arroz y sal. Y de pimienta también queda muy poca.

SRA. RIVAS Pues cómprelo, y lleve bien la cuenta de todo. Dése prisa, que hoy hay mucho que hacer.

Topics for Reports

EL CINE

¿Qué película vas a ver?
¿Qué has oído decir de la película?
¿Con quién vas?
¿A qué hora?
¿Cómo vas a ir?

Voy al cine esta noche ＊＊＊＊＊＊＊＊
＊＊＊＊＊＊＊＊＊＊＊＊＊＊＊＊＊＊＊＊＊＊
＊＊＊＊＊＊＊＊＊＊＊＊＊＊＊＊＊＊＊＊＊＊
＊＊＊＊＊＊＊＊＊＊＊＊＊＊＊＊＊＊＊＊＊＊
＊＊＊＊＊＊＊＊＊＊＊＊＊＊＊＊＊＊＊＊＊＊
＊＊＊＊＊＊＊＊＊＊＊＊＊＊＊＊＊＊＊＊＊＊

HABLANDO

¿Te gusta llamar a tus amigos?
¿Cuál es el número de teléfono de tu mejor amigo?
¿Le llamas todos los días?
¿Por cuánto tiempo hablan más o menos?

Hablo mucho por teléfono ＊＊＊＊＊＊＊
＊＊＊＊＊＊＊＊＊＊＊＊＊＊＊＊＊＊＊＊＊＊
＊＊＊＊＊＊＊＊＊＊＊＊＊＊＊＊＊＊＊＊＊＊
＊＊＊＊＊＊＊＊＊＊＊＊＊＊＊＊＊＊＊＊＊＊
＊＊＊＊＊＊＊＊＊＊＊＊＊＊＊＊＊＊＊＊＊＊
＊＊＊＊＊＊＊＊＊＊＊＊＊＊＊＊＊＊＊＊＊＊

AL TELÉFONO

¿A qué hora le llamaste?
¿Sabes dónde estaba?
¿Con quién hablaste?
¿Te llamó a ti después?

Llamé a José anoche, pero él no estaba en casa ＊＊＊＊＊＊＊＊＊＊＊＊
＊＊＊＊＊＊＊＊＊＊＊＊＊＊＊＊＊＊＊＊＊＊
＊＊＊＊＊＊＊＊＊＊＊＊＊＊＊＊＊＊＊＊＊＊
＊＊＊＊＊＊＊＊＊＊＊＊＊＊＊＊＊＊＊＊＊＊
＊＊＊＊＊＊＊＊＊＊＊＊＊＊＊＊＊＊＊＊＊＊

UNA LLAMADA

¿Tenías fiebre?
¿Qué te dolía?
¿Llamó tu mamá al médico?
¿Qué le dijo el médico?

El lunes pasado, me sentía muy mal ＊＊＊＊＊＊＊＊＊＊＊＊＊＊＊＊＊＊
＊＊＊＊＊＊＊＊＊＊＊＊＊＊＊＊＊＊＊＊＊＊
＊＊＊＊＊＊＊＊＊＊＊＊＊＊＊＊＊＊＊＊＊＊
＊＊＊＊＊＊＊＊＊＊＊＊＊＊＊＊＊＊＊＊＊＊
＊＊＊＊＊＊＊＊＊＊＊＊＊＊＊＊＊＊＊＊＊＊

EL BOLICHE

¿Crees que José quiere ir también?
¿A quiénes más les gustaría ir?
¿A qué hora piensas jugar?
¿Puedes pasar por mi casa?

Quiero jugar al boliche esta tarde ＊＊＊
＊＊＊＊＊＊＊＊＊＊＊＊＊＊＊＊＊＊＊＊＊＊
＊＊＊＊＊＊＊＊＊＊＊＊＊＊＊＊＊＊＊＊＊＊
＊＊＊＊＊＊＊＊＊＊＊＊＊＊＊＊＊＊＊＊＊＊
＊＊＊＊＊＊＊＊＊＊＊＊＊＊＊＊＊＊＊＊＊＊

A Get-Together

1   "Come in, Frank.

2   Here . . .   We're in the living room."

3   "Hello.   Sorry I'm a little late."

4   "I'll bring you a chair."

5   "Don't bother.   I'll sit down here."

6   "Say, did you see George's new car?"

7   "I sure did!   It's a wonderful car."

8   "It's only gone a hundred thousand kilometers."

9   "Does Robert have his driver's license?"

10   "Yes, he just passed his test."

11   "Does he spend much on gas?"

12   "Plenty.   That's why he works on Saturdays."

13   "Juanita, did you buy those records you wanted?"

14   "Yes.   When are you coming over to hear them?"

15   "The first afternoon I have free."

16   "I see you've got a new record player."

17   "Oh, that's right, you hadn't seen it.

18   Do you want to listen to it?"

19   "Sure.   I'd love to."

20   "Here's a wonderful record."

Una reunión

1 –Adelante, Paquito.

2 Aquí estamos en la sala.

3 –¡Hola! Siento haber llegado un poco tarde.

4 –Voy a traerte una silla.

5 –No te molestes. Me siento aquí.

6 –Oye ¿viste el coche nuevo de Jorge?

7 –¡Cómo no! ¡Es un coche formidable!

8 –Tiene solamente cien mil kilómetros.

9 –¿Tiene Roberto licencia para manejar?

10 –Sí, acaba de pasar el examen.

11 –¿Gasta mucho en gasolina?

12 –Bastante. Por eso trabaja los sábados.

13 –Juanita, ¿compraste aquellos discos que querías?

14 –Sí. ¿Cuándo vas a venir a oírlos?

15 –La primera tarde que tenga libre.

16 –Veo que tienes un tocadiscos nuevo.

17 –Es verdad, tú no lo habías visto.

18 ¿Quieres escucharlo?

19 –Ya lo creo. Me encantaría.

20 –Aquí tengo un disco precioso.

Question-Answer Practice

1 DIEGO ¿Viste el coche nuevo de Jorge?
  VICENTE ¡Cómo no! Es un coche formidable.

2 TOMÁS ¿Cuántos kilómetros tiene el coche de Paquito?
  ROLANDO Solamente cien mil.

3 ÁNGEL ¿Tiene Roberto licencia para manejar?
  GUILLERMO Sí, acaba de pasar el examen.

4 MANOLO ¿Gasta Roberto mucho en gasolina?
  JOAQUÍN Bastante. Por eso trabaja los sábados.

5 INÉS ¿No quieres esta silla?
  MARÍA No te molestes. Me siento aquí.

6 PILAR ¿Quieres escuchar unos discos?
  EUGENIA Ya lo creo. Me encantaría.

7 AMALIA ¿Qué disco ponemos?
  RAQUEL Aquí tengo uno que es precioso.

8 AURELIA ¿Cuándo vas a venir a oír los discos nuevos?
  RAMONA La primera tarde que tenga libre.

9 SRA. ESTRADA ¿Compró usted aquellos discos que quería?
  SRA. ÁLVAREZ Sí. Son preciosos.

10 SRA. NAVARRO ¿No es nuevo ese tocadiscos?
   SRA. MENDOZA Sí. Es verdad, usted no lo había visto.

Pattern Practice

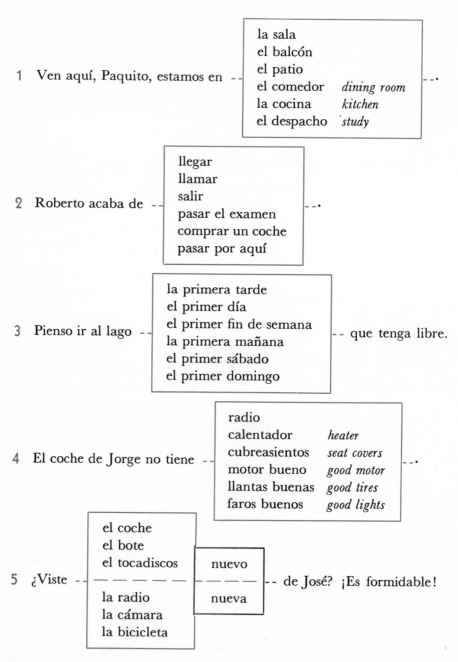

1 Ven aquí, Paquito, estamos en --
- la sala
- el balcón
- el patio
- el comedor   *dining room*
- la cocina   *kitchen*
- el despacho   *study*
--.

2 Roberto acaba de --
- llegar
- llamar
- salir
- pasar el examen
- comprar un coche
- pasar por aquí
--.

3 Pienso ir al lago --
- la primera tarde
- el primer día
- el primer fin de semana
- la primera mañana
- el primer sábado
- el primer domingo
-- que tenga libre.

4 El coche de Jorge no tiene --
- radio
- calentador   *heater*
- cubreasientos   *seat covers*
- motor bueno   *good motor*
- llantas buenas   *good tires*
- faros buenos   *good lights*
--.

5 ¿Viste --
- el coche
- el bote
- el tocadiscos
- la radio
- la cámara
- la bicicleta

nuevo / nueva
-- de José? ¡Es formidable!

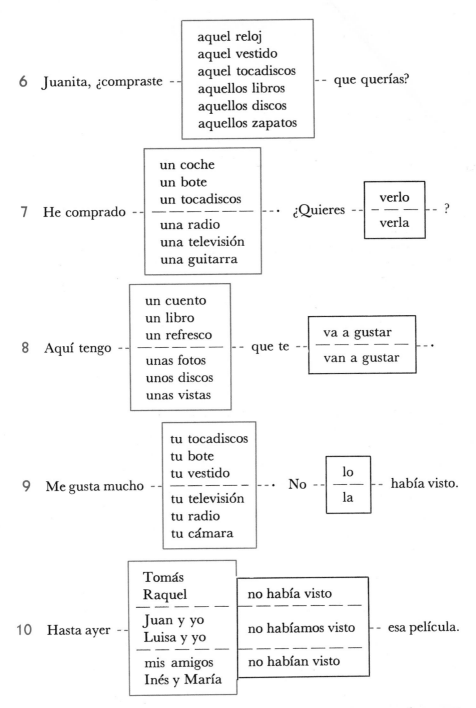

6 Juanita, ¿compraste

> aquel reloj
> aquel vestido
> aquel tocadiscos
> aquellos libros
> aquellos discos
> aquellos zapatos

que querías?

7 He comprado

> un coche
> un bote
> un tocadiscos
> ———————
> una radio
> una televisión
> una guitarra

¿Quieres

> verlo
> ———
> verla

?

8 Aquí tengo

> un cuento
> un libro
> un refresco
> ———————
> unas fotos
> unos discos
> unas vistas

que te

> va a gustar
> ——————
> van a gustar

.

9 Me gusta mucho

> tu tocadiscos
> tu bote
> tu vestido
> ——————
> tu televisión
> tu radio
> tu cámara

No

> lo
> ——
> la

había visto.

10 Hasta ayer

> Tomás
> Raquel
> ——————
> Juan y yo
> Luisa y yo
> ——————
> mis amigos
> Inés y María

> no había visto
> ————————
> no habíamos visto
> ————————
> no habían visto

esa película.

Conversations

1 Paquito is late arriving at Gloria's party.

GLORIA Adelante, Paquito. Estamos en la sala.
PAQUITO ¡Hola! Siento haber llegado un poco tarde.
GLORIA No importa. Voy a traerte una silla.
PAQUITO No te molestes. Me siento aquí, al lado de Manuel.

2 Manuel runs into Paquito at the used-car lot.

MANUEL Oye, Paquito, ¿viste el coche nuevo de Jorge?
PAQUITO Ya lo creo. ¡Es un coche formidable!
MANUEL Y tiene solamente unos cien mil kilómetros.
PAQUITO ¿Cuándo sacó la licencia para manejar?
MANUEL Acaba de pasar el examen.
PAQUITO ¿Gasta mucho en gasolina?
MANUEL Bastante. Por eso tiene que trabajar los sábados.

3 Gloria and Juanita are studying and listening to records in Gloria's room.

GLORIA Juanita, ¿compraste aquellos discos que querías?
JUANITA Sí. ¿Cuándo vas a venir a oírlos?
GLORIA Cuando tú quieras. Llámame.
JUANITA Gloria, veo que tienes un tocadiscos nuevo.
GLORIA Es verdad que tú no lo habías visto. ¿Quieres escucharlo?
JUANITA ¡Cómo no! Me encantaría.
GLORIA Aquí tengo un disco precioso, magnífico para bailar.

4 Rehearsal is over. Ángel and Guillermo have just ordered refreshments while they wait for Joaquín.

GUILLERMO Ese disco se está terminando. ¿Ponemos otro?
ÁNGEL Sí, pero no tengo suelto.
GUILLERMO No importa. Yo tengo.
ÁNGEL Mira, aquí viene Joaquín. Hola, trae una silla de esa mesa que está desocupada.

GUILLERMO ¿Cómo tardaste tanto?   Creímos que te habías ido a casa después del ensayo.

JOAQUÍN No, tardé un poco más porque tenía que hablar con el señor Álvarez.   Quiere que yo me encargue de las luces.

ÁNGEL El ensayo no resultó muy bien hoy, ¿verdad?

JOAQUÍN No, fué muy malo.   Espero que Eugenia esta noche estudie su papel.

GUILLERMO Tampoco Manolo en su papel de bandido sabía bien el suyo.   Se olvidó de la primera parte.   Y ya no faltan más que unos días para el estreno.

ÁNGEL Pero siempre sale mejor de lo que uno espera.

JOAQUÍN ¡Cuánto tardan en servirnos!

GUILLERMO Por ahí ya viene.

CAMARERO Aquí están las leches malteadas.   Y usted ¿qué va a tomar?

JOAQUÍN Para mí una naranjada.

5 Manuel and Eusebio are at a used-car lot, having a quick look before the salesman shows up.

MANUEL Este coche azul me gusta más que el negro, y además el precio es menos.   Solamente tres mil pesos.

EUSEBIO Pues es verdad, no está mal.

VENDEDOR ¿Puedo servirles en algo?   ¿Es éste el coche que les gusta?   Está como nuevo.   Fíjense en los cubre-asientos.   Tiene radio y calentador.   Y a este precio es una ganga.

EUSEBIO Las llantas no me parecen muy buenas.

VENDEDOR Ah, pero el motor es magnífico.

MANUEL ¿Cuántos kilómetros tiene?

VENDEDOR Solamente cien mil.   Los motores que hacen ahora no son tan buenos.

EUSEBIO Veo que le falta un faro.

VENDEDOR Eso no es nada.   Lo que importa es que tenga buen radio y calentador.   ¿Les gustaría manejarlo y ver qué les parece?

MANUEL Muchas gracias, pero por ahora estamos mirando, nada más.

6   Aurelia has exciting news for Ramona.

AURELIA   Pronto voy a tener mi licencia para manejar.

RAMONA   ¡Qué bien, chica!   Yo también estoy deseando cumplir los diez y seis años, para sacar la mía.   Cuéntame. ¿Dónde fuiste?

AURELIA   A la calle Colón, número 22, que está al lado del Banco Nacional.

RAMONA   ¿Pasaste ya el examen?

AURELIA   Pasé el examen de la vista.

RAMONA   ¿Y qué más?

AURELIA   Tuve que dar mi nombre y apellidos, y los de mi padre, los años que tengo, la dirección . . .   Y ahora lo que me falta es estudiar este librito y pasar el examen.

7   Amalia and Raquel are in front of a record shop.

AMALIA   Ésta es la tienda donde Gabriel compra todos los discos.   Vamos a ver si tienen el que tú quieres.

DEPENDIENTA   ¿Qué desean ustedes, señoritas?

RAQUEL   Quiero comprar un disco, pero no sé el nombre.   Lo tocan mucho en la película "Noche de Verano".

DEPENDIENTA   ¿Se acuerda usted de la orquesta?

RAQUEL   Sólo sé que es muy buena.   ¿No ha visto usted esa película?   Es la canción que canta María Torres desde el balcón.

DEPENDIENTA   No, no la he visto.

AMALIA   Mira, Raquel, aquí hay un disco de la orquesta de Rolando Mendoza, que me gusta tanto . . . Señorita, ¿puedo ponerlo en este tocadiscos?

DEPENDIENTA   Sí, ¡cómo no!   Para eso lo tenemos . . .

AMALIA   ¡Oh, es precioso!

RAQUEL   Pero, Amalia, ¡si éste es el mismo disco que yo buscaba!

8   Diego and Vicente are stopped at a roadblock outside Los Altos.

DIEGO   ¿Por qué no se puede pasar?

POLICÍA   Ha habido un accidente, y todos tienen que esperar.

VICENTE   Pero es que tenemos prisa porque jugamos en el partido de boliche esta tarde con el equipo de Los Altos, y debemos estar allí antes de las tres.

POLICÍA Bien, bien. Entonces lo único que pueden hacer es tomar, en el primer cruce, el camino de la izquierda.

DIEGO Pero no conocemos bien la ciudad. ¿Puede usted decirnos cómo ir al Paseo Buenavista desde allí?

POLICÍA Sí. Sigan derecho por ese camino hasta llegar al campo de tenis. Allí doblan a la izquierda, y en la tercera bocacalle encontrarán el Paseo Buenavista.

VICENTE Muchas gracias.

POLICÍA Buena suerte.

9 Away from home, Dr. Navarro puts through a long distance call to his office.

DR. NAVARRO Hola, señorita García. ¿Puedo hablar con el doctor Zapata?

SRTA. GARCÍA Oh, es usted, doctor Navarro. En este momento no puede venir. Acaban de traer unos heridos a la enfermería. Ha habido un accidente de automóvil cerca de aquí.

DR. NAVARRO ¿Cree que tardará mucho?

SRTA. GARCÍA No sé. Tal vez un cuarto de hora. No creo que es nada serio. Solamente uno fué al hospital.

DR. NAVARRO Bueno, y ¿cómo están mis enfermos?

SRTA. GARCÍA Todos siguen mejorando.

DR. NAVARRO ¿Manolito, también?

SRTA. GARCÍA Sí. Llamaron para decirnos que se siente mucho mejor. Ya no tiene fiebre ni le duele más la cabeza.

DR. NAVARRO ¡Qué bien! Pero que guarde cama unos días más. Dígale al doctor Zapata que en vista de que todo va bien, voy a quedarme aquí hasta mañana. Y ahora, antes de que se me olvide, ¿puede usted hacerme un pequeño favor? En mi mesa tengo un regalo para mi hija, que hoy es su cumpleaños. ¿Quiere usted llevarlo a mi casa?

SRTA. GARCÍA Ya lo creo. Con mucho gusto. Y usted, doctor, ¿qué tal lo está pasando con tantas reuniones y banquetes?

DR. NAVARRO Bien, pero hace mal tiempo. Mucha lluvia, como siempre aquí en la primavera . . .

SRTA. GARCÍA Le diré al doctor Zapata que usted ha llamado, y va a quedarse un día más.

DR. NAVARRO Gracias. Hasta mañana.

Topics for Reports

UNA REUNIÓN

¿Dónde vive?
¿Quiénes estaban allí?
¿A qué hora llegaste?
¿Qué tal resultó la reunión?
¿Cómo lo pasaste?

Ayer fuí a una reunión en casa de un amigo *
* *
* *
* *
* *

UN COCHE NUEVO

¿Cuándo lo compró?
¿Cuántos kilómetros tiene?
¿De qué color es?
¿Crees que es un coche bueno?

Un amigo mío acaba de comprar un coche * * * * * * * * * * * * * * * * * * *
* *
* *
* *

LA LICENCIA

¿Cuándo tendrás el examen?
¿Tienes un libro para estudiar?
¿A dónde tienes que ir para el examen?
¿Crees que vas a salir bien?

Pronto espero tener la licencia para manejar * * * * * * * * * * * * * * * * *
* *
* *
* *
* *

NUESTRO COCHE

¿De qué año es?
¿Anda bien?
¿Gasta mucha gasolina?
¿Te gusta manejarlo?

Nuestro coche no es nuevo, pero me gusta *
* *
* *
* *

UN TOCADISCOS NUEVO

¿Se lo regalaron sus padres?
¿Cuándo lo viste tú?
¿Cómo toca?
¿Tiene Felipe muchos discos buenos?

Mi amigo Felipe tiene un tocadiscos nuevo * * * * * * * * * * * * * * * * * * *
* *
* *
* *

Vacation

1   "We'll soon be on vacation.

2   Where are you going to spend yours?"

3   "We may go abroad.

4   The trouble is that it costs a lot.

5   We'd like to make the trip by plane."

6   "You're staying here this summer?"

7   "Yes, I've got a good job.

8   And you, are you planning to work, too?"

9   "No, we all plan to go to the beach.

10   Jim would like to go to the mountains.

11   But the rest of us prefer the seashore."

12   "We're going to spend a few days in the country.

13   Would you like to go with us?

14   My parents asked me to invite you.

15   We'd be back on Monday."

16   "Fine! I'll let you know for sure, tomorrow."

17   "So, you're going to the capital?"

18   "Yes, we'll leave on the fourth.

19   We'll be there two or three days.

20   We're excited about the trip."

Vacaciones

1 —¡Pronto estaremos de vacaciones!
2 ¿Dónde vas a pasarlas?
3 —Quizá vayamos al extranjero.
4 Lo malo es que cuesta mucho.
5 Nos gustaría hacer el viaje en avión.

6 —¿Te quedas aquí este verano?
7 —Sí, tengo un empleo muy bueno.
8 Y tú ¿piensas trabajar también?
9 —No, pensamos todos ir a la playa.
10 A Diego le gustaría ir a las montañas.
11 Pero los demás preferimos el mar.

12 —Vamos a pasar unos días en el campo.
13 ¿Te gustaría acompañarnos?
14 Mis padres me dijeron que te invitara.
15 Estaríamos de vuelta el lunes.
16 —¡Magnífico! Te lo diré con seguridad mañana.

17 —¿Conque te vas a la capital?
18 —Sí, saldremos el día cuatro.
19 Estaremos allí dos o tres días.
20 Estamos entusiasmados con el viaje.

Question-Answer Practice

1 PACO   ¿Te quedas aquí este verano?
  ANDRÉS Sí. Tengo un empleo muy bueno.

2 NACHO   Y tú ¿piensas trabajar también?
  EUGENIO No, pensamos todos ir a la playa.

3 ELISEO   ¿A Diego le gustaría ir a las montañas?
  GILBERTO Sí, pero nosotros preferimos el mar.

4 CARMEN ¿Puedes acompañarnos al campo?
  PILAR   Te lo diré con seguridad mañana.

5 CHAVELA ¿Cuándo estaríamos de vuelta?
  ROSARIO   El lunes que viene.

6 SRA. RÍOS   ¿Dónde van a pasar ustedes las vacaciones?
  SRA. MEDINA Quizá vayamos al extranjero.

7 SRA. CHAPA   ¿Cómo piensan hacer el viaje?
  SRA. RAMÍREZ Nos gustaría ir en avión.

8 SRA. ZAPATA   Ustedes ¿dónde van?
  SRA. NAVARRO Vamos a pasar unos días en el campo.

9 SR. ÁLVAREZ   ¿Conque se van ustedes a la capital?
  SR. DEL VALLE Sí, saldremos el día cuatro.

10 SR. GARCÍA   ¿Cuánto tiempo van a estar allí?
  SR. FERNÁNDEZ Estaremos allí dos o tres días.

Pattern Practice

1 ¿Dónde vas a pasar --
   - las vacaciones
   - el fin de semana
   - el verano
   - los días de fiesta
   - el domingo
   - el mes de agosto

   -- ?

2 Nos gustaría hacer el viaje --
   - en avión
   - en coche
   - en autobús
   - en bicicleta
   - en tren   *by train*
   - en vapor   *by boat*

   -- .

3 Este año quiero --
   - hacer un viaje
   - salir de la ciudad
   - ir a la capital
   - quedarme aquí
   - trabajar
   - ganar algún dinero   *earn some money*

   -- .

4 Para mi viaje ya tengo --
   - el dinero
   - una cámara
   - el pasaporte   *passport*
   - pasaje de turista   *tourist passage*
   - billete de ida y vuelta *round-trip ticket*
   - el equipaje listo   *the baggage ready*

   -- .

5 Pensamos todos ir --
   - a la playa
   - a las montañas
   - al lago
   - al campo
   - a la capital
   - al extranjero

   -- .

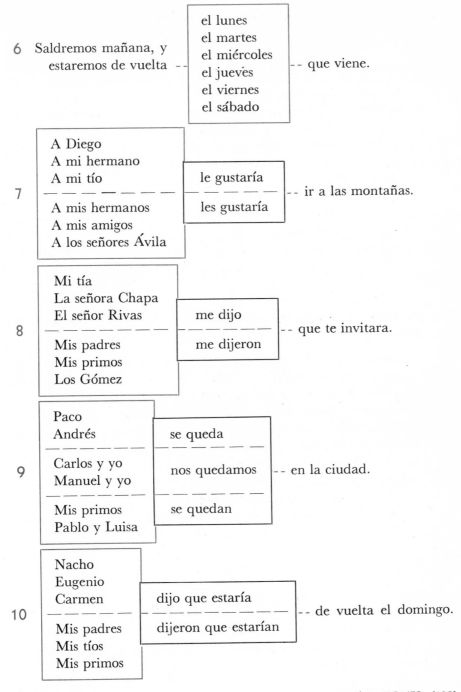

6 Saldremos mañana, y estaremos de vuelta -- [el lunes / el martes / el miércoles / el jueves / el viernes / el sábado] -- que viene.

7 [A Diego / A mi hermano / A mi tío] --- [le gustaría] --- ir a las montañas.
   [A mis hermanos / A mis amigos / A los señores Ávila] --- [les gustaría]

8 [Mi tía / La señora Chapa / El señor Rivas] --- [me dijo] -- que te invitara.
   [Mis padres / Mis primos / Los Gómez] --- [me dijeron]

9 [Paco / Andrés] --- [se queda] -- en la ciudad.
   [Carlos y yo / Manuel y yo] --- [nos quedamos]
   [Mis primos / Pablo y Luisa] --- [se quedan]

10 [Nacho / Eugenio / Carmen] --- [dijo que estaría] -- de vuelta el domingo.
   [Mis padres / Mis tíos / Mis primos] --- [dijeron que estarían]

VACACIONES [189]

Conversations

1 Eugenio and Nacho discuss vacation plans.

EUGENIO ¿Conque te vas a la capital?

NACHO Sí, saldremos el día cuatro. Estamos entusiasmados con el viaje. Y tú ¿dónde vas a pasar las vacaciones?

EUGENIO Quizá vayamos al extranjero en agosto, pero no estamos seguros. Lo malo es que cuesta mucho.

NACHO Pues, ¿no te gustaría acompañarnos a la capital por dos o tres días? Estaremos de vuelta el viernes. Mi tío Boni quiere que estemos en su casa. Lo pasaremos muy bien.

EUGENIO Ah, sí. Tu tío Boni es tan simpático. Me gustaría mucho ir. Pero te lo diré con seguridad mañana.

2 Ramón enters the drugstore and sees his friend Manuel working behind the counter.

RAMÓN ¡Hola, Manuel! ¿Conque ya empezaste a trabajar aquí?

MANUEL Sí, desde el lunes. Me gusta mucho este empleo.

RAMÓN Entonces ¿te quedas aquí todo el verano?

MANUEL Sí, pero estoy libre los fines de semana.

RAMÓN Qué bien, porque nosotros como siempre vamos a pasar las vacaciones en la playa, y mis padres me dijeron que te invitara a pasar unos días.

MANUEL Hombre, muchas gracias. Eso sería estupendo. Me gusta tanto nadar en el mar.

RAMÓN ¡Qué bien que puedas venir! Te llamaré en unos días.

3 Gloria and Andrés are talking about summer vacations.

GLORIA Y tú ¿cómo pasaste las vacaciones?

ANDRÉS Chica, lo pasé muy bien.

GLORIA ¿Qué hiciste? ¿Fuiste a algún sitio?

ANDRÉS No, estuve trabajando. ¿Te acuerdas de la Venta del Pino?

GLORIA Oh, sí, una vez fuimos allí a merendar.   ¿Quieres decir que trabajabas allí?   ¿Qué es lo que hacías?

ANDRÉS Estuve de camarero.   ¿Sabes quién estaba también allí? Paco Fernández.

GLORIA ¿Tenías muchas horas de trabajo?

ANDRÉS No, solamente una hora al mediodía, y dos por la noche. Las mañanas y las tardes, estaba libre.   Muchas veces Paco y yo salíamos a pescar, y otros días a nadar. También jugamos mucho al tenis, y al fin de semana siempre íbamos a algún baile.

GLORIA ¡Qué bueno!   Pasarlo tan bien, y al mismo tiempo ganar dinero.

ANDRÉS La verdad es que no gané mucho, porque con la prisa que nos daban, dos o tres veces se me cayeron los platos, y eso me costó bastante.   Pero con todo, lo pasé estupendamente.

4 Mrs. Ríos and Mrs. Vega are talking about vacation plans.

SRA. RÍOS ¿Piensan ustedes ir este verano a las montañas?

SRA. VEGA No, este año no podemos.

SRA. RÍOS Pues ¿no tiene Jorge vacaciones?

SRA. VEGA Sí, las dos últimas semanas de agosto como siempre, pero los chicos no están libres en esos días.   Podríamos salir de aquí el día 15, pero el 20 María Luisa tiene que dar un concierto.   Y Pablito, que va a jugar al fútbol en el otoño, debe estar de vuelta para el 23.

SRA. RÍOS Chica, ¡qué lástima!

SRA. VEGA Por mí no lo siento.   Nunca me han gustado las montañas.

5 The Medinas are looking forward to vacation time.

SR. MEDINA Tenemos que pensar qué día nos vamos al campo a pasar las vacaciones.

CARMEN ¿Otra vez al campo este año?

SR. MEDINA ¿Pues qué, no te gusta?   Siempre lo has pasado bien allí.

SRA. MEDINA Pero Eusebio, este año creí que podríamos ir a la playa tan bonita donde van los Vegas todos los años. Siempre vienen muy entusiasmados. El campo estaba bien cuando Carmencita era pequeña, pero ahora ella quiere ir a un sitio animado donde estén sus amigas.

CARMEN ¿De qué me sirve tener este año licencia para manejar si vamos a estar en el campo?

SR. MEDINA Todo eso está muy bien, pero en esos sitios se gasta mucho.

SRA. MEDINA No lo creas. Los precios no son exagerados, sobre todo si se alquilan las casas por mes, como hacen los Vegas.

CARMEN Según dice Silvia, es de lo más divertido. Siempre están de fiesta. Además de nadar, juegan mucho al tenis. También alquilan bicicletas o botes para ir de merienda.

SRA. MEDINA Y hay buenos cines donde ponen las últimas películas. Y tú, por supuesto, Eusebio, puedes ver en la televisión todos los partidos de béisbol que quieras, que después de todo es lo que haces en el campo.

SR. MEDINA Pero tú sabes cuánto me gusta ir al lago a pescar.

CARMEN Pero, papá, para pescar, ¿qué mejor sitio que el mar?

SR. MEDINA Pues en eso tienes razón. Por lo menos habrá más peces que en el lago.

SRA. MEDINA Ya lo creo. Y más grandes.

SR. MEDINA Entonces necesitaré unos cuantos avíos más para pescar allí.

CARMEN Sí, por supuesto, papá, vas a necesitarlos. Y yo también quiero un traje de baño nuevo.

SRA. MEDINA Ya verás, Eusebio, qué bien lo vamos a pasar.

SR. MEDINA Sí que tiene gracia. Quiero salir de la ciudad para no ver gente, y ahora me llevan a la playa, que es donde está el gentío.

6 Mr. and Mrs. Ávila are just finishing dinner at the home of Mr. and Mrs. Chapa.

SRA. ÁVILA ¡Qué comida tan deliciosa!

SR. ÁVILA Señora, nunca he comido un cordero asado tan bueno.

SRA. CHAPA Muchas gracias. ¡Qué bueno que les gustara! ¿Vamos ahora a pasar a la sala?

SR. CHAPA	¿Les gustaría a ustedes ver las vistas que sacamos de nuestro viaje?
SRA. ÁVILA	Claro que sí que nos gustaría verlas, ¿no es eso, Gilberto?
SR. ÁVILA	Sí, sí.
SRA. CHAPA	Por favor, siéntese aquí, señora, para ver mejor. Eliseo, trae una silla para el señor Ávila.
SR. ÁVILA	Oh, no se moleste. Desde aquí veo bien.
SR. CHAPA	Ahora ya está todo listo.
SRA. CHAPA	La primera vista es Eliseo poniendo el equipaje en el coche . . . En ese lugar pasamos la segunda noche . . . Ésta es una vista del Mirador . . . Aquí están unos amigos que conocimos al llegar. Ella es muy simpática. Pero miren el peinado. Es un poco exagerado, ¿no? . . . Esta vista tan linda es del Lago Azul . . . Miren a mi Eliseo con lo que pescó ese día.
SRA. ÁVILA	¡Qué vista tan bonita! ¿No crees tú que sí, Gilberto?
SR. ÁVILA	Sí, muy bonita.
SRA. CHAPA	Ésta es la casa de mis primos. Pasamos una semana con ellos . . . Aquí están tres de sus hijos. El mayor está en la Marina.

. . . . .

Y ahora, aquí está la Venta del Pino. ¡Es un sitio tan lindo!

SR. CHAPA	Estas vistas no son de lo mejor que he sacado, ni mucho menos. Ese día hacía mal tiempo.
SRA. ÁVILA	Las fotos son lindísimas, ¿verdad, Gilberto?
SR. ÁVILA	Sí, muy lindas.
SRA. CHAPA	Éstas sí creo que están bien. Miren, aquí yo en la playa . . . Oh, el teléfono. Por favor, un momento . . . Es para usted, señora Ávila.
SRA. ÁVILA	Espero que no le haya pasado nada a Pepito . . . Es Chavela. Dice que Pepito no ha querido comer nada y tampoco quiere irse a la cama.
SR. ÁVILA	Oh, entonces debemos irnos, ¿no te parece, Rosario?
SRA. ÁVILA	Sí. Tal vez esté enfermo. Lo siento mucho, señora. ¡Qué lástima que no podamos terminar de verlas!

7 Mr. del Valle enters a tourist agency to make flight reservations.

EMPLEADO   Señor, ¿en qué puedo servirle?

SR. DEL VALLE   Pienso hacer un viaje a Madrid con mi familia.

EMPLEADO   ¿Para cuándo?

SR. DEL VALLE   Si puede ser, el 3 de agosto; pero dos días antes o después, no importa, porque mis vacaciones empiezan el primero.

EMPLEADO   ¿Cuántos pasajes desea?

SR. DEL VALLE   Tres: para mi señora, mi hija y yo.

EMPLEADO   Y su hija ¿es menor de doce años?

SR. DEL VALLE   No, tiene diez y seis.

EMPLEADO   Muy bien, tres para Madrid. ¿Los quiere de primera o de turista?

SR. DEL VALLE   Turista.

EMPLEADO   ¿De ida y vuelta?

SR. DEL VALLE   Sí, pero todavía no estamos seguros de la fecha de vuelta.

EMPLEADO   Está bien. Haga el favor de darme su nombre y teléfono.

SR. DEL VALLE   Jerónimo del Valle. Teléfono: 82 - 49 - 64.

EMPLEADO   Creo que quedan pasajes para esa fecha. Le llamaré mañana, y se lo diré con seguridad.

Topics for Reports

LAS VACACIONES

¿Cuántos días faltan?
¿Cuándo empiezan?
¿Cuánto tiempo duran?
¿Qué piensas hacer en las vacaciones?

Tengo muchas ganas de que lleguen las
vacaciones * * * * * * * * * * * * * * * *
* *
* *
* *
* *

UN VIAJE

¿A dónde piensas ir?
¿Cuánto tiempo vas a quedarte allí?
¿Cuándo vas a salir?
¿Cómo vas a hacer el viaje?

Estas vacaciones vamos a hacer un
viaje * * * * * * * * * * * * * * * * * *
* *
* *
* *
* *

EMPLEO DE VERANO

¿Dónde vas a trabajar?
¿Cuándo vas a empezar?
*¿Cuántos días de la semana vas a
trabajar?*
¿Piensas ganar mucho?

Tengo un empleo muy bueno para este
verano * * * * * * * * * * * * * * * * *
* *
* *
* *
* *

EL VERANO PASADO

¿A dónde fueron?
¿Cómo hicieron el viaje?
¿Cuánto tiempo duró?
¿Sacaste algunas fotos?
¿Salieron bien?

Toda la familia hicimos un viaje el
verano pasado * * * * * * * * * * * * *
* *
* *
* *
* *
* *

LOS SÁBADOS

¿Dónde trabajas?
¿Te gusta el empleo?
¿Cuánto ganas por hora?
¿Qué piensas comprar con ese dinero?

Trabajo todos los sábados * * * * * * *
* *
* *
* *
* *

In the Capital

1 "What building do you suppose that is?"
2 "It must be the National Palace."
3 "Watch out! The light's changing."
4 "Look at this souvenir shop.
5   We can buy all our gifts here."
6 "Yes, we'll come here some day before we leave."

7 "Do you have the map of the city?"
8 "No, I left it at the hotel."
9 "Naturally. You're always forgetting something."
10 "We'd better buy another."
11 "Fortunately, there is a newsstand over there."

12 "Tell me, please, is this the way to the Post Office?"
13 "Yes sir, go straight ahead . . .
14   Until you reach Heroes Avenue.
15   Turn to the right and you can't miss it."

16 "Pardon me, how do you get to the Alameda?"
17 "Go on down the Calzada San Martín . . .
18   As far as Victoria Square.
19   There you take Cervantes Street . . .
20   And you'll find it at the end of the street."

En la capital

1   –¿Qué edificio será aquél?

2   –Debe ser el Palacio Nacional.

3   –¡Cuidado, que cambian las luces!

4   –Mira esta tienda de curiosidades.

5   Aquí podemos comprar todos los regalos.

6   –Sí.   Vendremos un día antes de marcharnos.

7   –¿Tienes tú el plano de la ciudad?

8   –No, lo dejé en el hotel.

9   –¡Claro!   Siempre se te olvida algo.

10   –Mejor será que compremos otro.

11   –Por fortuna, allí hay un kiosko.

12   –Dígame, por favor, ¿se va por aquí al Correo?

13   –Sí, señor, vaya todo seguido . . .

14   Hasta llegar a la Avenida de los Héroes.

15   Doble usted a la derecha, y allí mismo lo verá.

16   –Perdone, ¿por dónde se va a la Alameda?

17   –Siga usted por la Calzada San Martín . . .

18   Hasta la Plaza de la Victoria.

19   Allí toma la calle Cervantes . . .

20   Y al final de la calle la encontrará.

Question-Answer Practice

1 CECILIA ¿Qué edificio será aquél?
ANTONIA Debe ser el Palacio Nacional.

2 RAMONA ¿Qué te parece esta tienda de curiosidades?
CATALINA Bien. Aquí podemos comprar todos los regalos.

3 AURELIA ¿Cuándo vamos a hacer las compras?
CARLOTA Vendremos un día antes de marcharnos.

4 DANIEL ¿Tienes tú el plano de la ciudad?
EDUARDO No, lo dejé en el hotel.

5 HUGO ¿No será mejor que compremos otro plano?
ERNESTO Sí. Por fortuna, allí hay un kiosko.

6 SR. VÁZQUEZ Dígame, por favor, ¿se va por aquí al Correo?
SR. MEDINA Sí, señor, vaya todo seguido hasta llegar a la Avenida de los Héroes.

7 SR. GARZA ¿Está el Correo en la Avenida de los Héroes?
SR. MENDOZA Sí, doble usted a la derecha, y allí mismo lo verá.

8 RAÚL Perdone, ¿por dónde se va a la Alameda?
SR. SÁNCHEZ Siga usted por la Calzada hasta llegar a la Plaza de la Victoria.

9 PEDRO ¿Qué calle tomo allí?
SR. SILVA La calle Cervantes.

10 RAFAEL ¿Dónde encontraré la Alameda?
SR. VÁZQUEZ Al final de la calle.

Pattern Practice

1 Aquél debe ser --
> el Palacio Nacional
> el Hotel Plaza
> el Parque Buenavista
> el Correo
> el Telégrafo — *Telegraph Office*
> el Museo de Ciencias — *Museum of Sciences*

--.

2 Creo que el banco queda --
> al lado
> a la derecha
> a la izquierda
> enfrente — *in front*
> detrás — *behind*
> a una cuadra — *one block*

-- del museo.

3
> La Alameda
> La Plaza Colón
> La tienda Novedades
> La estación
> El Telégrafo
> La catedral — *cathedral*

-- está al final de esta calle.

4 Según el plano, tenemos que --
> ir todo seguido
> doblar a la derecha
> doblar a la izquierda
> seguir por esta calle
> tomar la calle Cervantes
> llegar a la Calzada San Martín

--.

5 Dígame, por favor, ¿se va por aquí --
> al Correo
> al Banco Nacional
> al Cine Palacio
> al Restaurante Buenavista
> a la catedral
> a la estación

--?

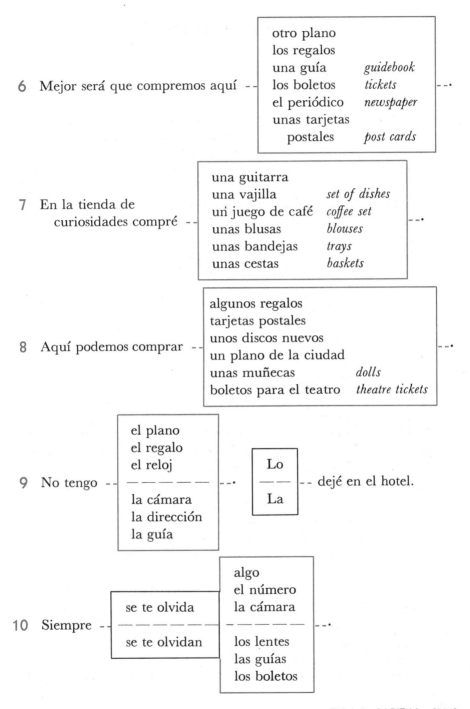

6 Mejor será que compremos aquí

> otro plano
> los regalos
> una guía — *guidebook*
> los boletos — *tickets*
> el periódico — *newspaper*
> unas tarjetas postales — *post cards*

7 En la tienda de curiosidades compré

> una guitarra
> una vajilla — *set of dishes*
> un juego de café — *coffee set*
> unas blusas — *blouses*
> unas bandejas — *trays*
> unas cestas — *baskets*

8 Aquí podemos comprar

> algunos regalos
> tarjetas postales
> unos discos nuevos
> un plano de la ciudad
> unas muñecas — *dolls*
> boletos para el teatro — *theatre tickets*

9 No tengo

> el plano
> el regalo
> el reloj
> — — — —
> la cámara
> la dirección
> la guía

> Lo
> — —
> La

dejé en el hotel.

10 Siempre

> se te olvida
> — — — — —
> se te olvidan

> algo
> el número
> la cámara
> — — — —
> los lentes
> las guías
> los boletos

Conversations

1 Sight-seeing for the day in the capital, Luisa and Anita are trying to locate the Alameda.

LUISA   ¿Sabes si la Alameda queda cerca de aquí? Dicen que es muy bonita, y me gustaría sacar unas fotos.

ANITA   No debe estar muy lejos. ¿Tienes tú el plano?

LUISA   Chica, no lo tengo. Creo que lo dejé en el restaurante. Mejor será que compre otro.

ANITA   No te molestes. Aquí hay un policía . . . Perdone usted, ¿puede decirnos por dónde se va a la Alameda?

POLICÍA Sí, señorita. Sigan ustedes por esta calle hasta llegar a la Plaza de Colón. Allí tomen la Avenida de los Héroes, y al final la encontrarán.

ANITA   Muchas gracias.

POLICÍA De nada, señoritas.

2 The Marín family has just arrived in the capital. Raúl and his sister Gloria have left the hotel for a short walk.

RAÚL   ¿Qué edificio será aquél?

GLORIA Creo que es el Palacio Nacional. Mira, aquí se ve en el plano.

RAÚL   ¡Cuidado, que cambian las luces! Oye, Gloria, no debemos ir más lejos. Tenemos que estar de vuelta en el hotel a las tres y media.

GLORIA Está bien. Pero mira esta tienda de curiosidades. ¡Qué blusas tan lindas! Aquí puedo comprar todos los regalos que tengo que hacer.

RAÚL   Bueno, puedes venir y comprarlos tú otro día. Ahora vamos al hotel. Ya son las tres y cuarto.

3 Celia is visiting Belita.

BELITA Esta mañana llegó una postal de Eugenio Vázquez. ¿Quieres verla?

CELIA   Sí, ¡cómo no! . . . ¡Qué bonita vista!

BELITA Tú te acuerdas de este sitio, ¿verdad?

CELIA   Ah, sí, es la Plaza de la Victoria. Pasamos por allí el día que fuimos a la Alameda . . . ¿Y qué dice de bueno?

BELITA Nada de particular . . . Que fueron a comer al Restaurante Benavides, que lo están pasando bien, que hace un tiempo magnífico . . . Léelo, si quieres . . .

CELIA ¡Ah! ¿Conque se acuerda mucho de ti?

BELITA Oh, no será tanto.

4 Eugenio and Nacho have been sightseeing in the big city.

EUGENIO Ya es hora de ir al restaurante para encontrarnos con Hugo y Ernesto.

NACHO Oh, todavía hay tiempo. No está muy lejos de aquí.

EUGENIO ¿Vamos en autobús?

NACHO No, podemos muy bien ir a pie.

EUGENIO ¿Estás seguro que sabes dónde está? Porque yo no tengo el plano.

NACHO No lo necesitamos. Ya conozco bien las calles. Mira, allí está el Palacio Nacional. Antes de llegar allí, doblamos a la derecha.

EUGENIO Pues yo creía que era después de pasar el Palacio Nacional.

NACHO No, no, ya verás. Pronto llegaremos.

. . . . .

EUGENIO Bueno, ¿y dónde está el restaurante?

NACHO Tiene que estar aquí cerca. Creo que doblando a la izquierda lo encontraremos.

EUGENIO Chico, no hacemos más que dar vueltas. Otra vez vamos camino del Palacio Nacional.

NACHO Ahora me parece que siguiendo por esta calle . . .

EUGENIO Mira, ¿no será aquel restaurante pequeño?

NACHO Sí, el mismo. Ya te decía yo que conozco bien las calles.

5 Two couples, the Garzas and the Silvas, have been doing a lot of sightseeing.

SR. GARZA Lo primero que tenemos que hacer hoy es ir al banco.

SRA. GARZA Muy bien, tú vas con Daniel al banco, y nosotras vamos de compras. Aquí cerca hay una tienda de curiosidades que vimos ayer. Tienen de todo.

SRA. SILVA Sí, ¡qué buena idea! Yo tengo que comprar dos o tres regalitos.

SR. SILVA	Muy bien. En veinte minutos nos encontraremos en la tienda.
SRA. SILVA	Mejor será media hora. No hay prisa.

. . . . .

SRA. GARZA	Todo esto es lo mío, y lo demás, de la señora Silva.
DEPENDIENTE	¿Nada más, señora? ¿No quiere ver las blusas?
SRA. SILVA	Oye, Enriqueta, ¿qué hora será? Ya están de vuelta.
SRA. GARZA	Pues la verdad es que no tardaron mucho en el banco. Mira, Rafael, ¡qué cestas tan lindas he comprado! Una para Catalina, y otra para Antonia.
SRA. SILVA	Y yo compré este juego de café para tu mamá. ¿No crees que le va a gustar?
SRA. GARZA	Esta pareja de muñecos, para Luisita. Fíjate en el vestido de la muñeca. Y los zapatitos ¡qué preciosos! Y esta vajilla tan bonita, para nosotros. ¡Qué ganga!
SRA. SILVA	Yo compré estas bandejas para hacer unos regalitos. Ésta, la más bonita, para tu tía Prudencia. Me gustan los tonos.
SR. GARZA	Y esa guitarra ¿para quién?
SRA. GARZA	¿La guitarra? Para Eduardito. ¡Cómo le va a encantar!
SR. GARZA	Pero, Enriqueta, ¿te has olvidado que vamos en avión? ¿Dónde vas a poner todo eso?
SR. SILVA	Chico, ¡diez minutos más, y compran la tienda!

6 Three boys are traveling by car.

TOMÁS	¿Qué hora será? Ya tengo mucha hambre.
MARIANO	Según mi reloj, las once y cuarto.
TOMÁS	¿Las once y cuarto nada más? Tu reloj debe andar atrasado.
GUSTAVO	No vamos a tener tiempo de comer en el camino.
TOMÁS	¿Por qué? El desfile no empieza hasta la una.
GUSTAVO	¿No te acuerdas que los de la banda debemos estar allí media hora antes?
MARIANO	Y Mauricio ¿al fin en qué coche fué?

TOMÁS	Pero ¿no sabes lo que le pasó? Ayer se cayó en la escalera y se lastimó mucho un brazo.
MARIANO	Pobre muchacho. ¡Qué lástima!
TOMÁS	Lo tiene todo vendado, y le dolía bastante. También se rompió un diente.
GUSTAVO	El médico dice que es bastante serio.
TOMÁS	Mira, ¿no te parece que ese cochecito azul que acaba de pasar es casi igual al que compró Antonio?
MARIANO	Ah, sí. Esos coches pequeños son estupendos.
TOMÁS	Sí, sobre todo para manejar en la ciudad.
MARIANO	Y además gastan muy poca gasolina.
GUSTAVO	Oye, Tomás, creo que hemos perdido el camino que nos llevaba a Los Altos, y estamos en Villanueva.
TOMÁS	Ah, sí, ¡qué lata! Ya pasamos el cruce donde debíamos haber doblado a la derecha.
MARIANO	Aquí cerca veo una estación de gasolina. Tal vez alguien puede decirnos cómo encontrar otra vez el camino.

. . . . . .

TOMÁS	¿Hace usted el favor de decirnos a cuántos kilómetros estamos del camino de Los Altos?
EMPLEADO	Oh, estará a unos quince kilómetros de aquí. Pueden seguir adelante hasta la tercera bocacalle, y allí doblen a la derecha, luego derecho hasta llegar al camino de Los Altos.
MARIANO	¿Tenemos que pasar por el centro de la ciudad?
EMPLEADO	No, solamente por este barrio.
TOMÁS	¿Cuánto tiempo cree usted que nos llevará?
EMPLEADO	Creo que una media hora.
TOMÁS	Muchas gracias.
EMPLEADO	De nada.
TOMÁS	Entonces mejor será que llamemos al Sr. Peña, y decirle que llegaremos un poco tarde.
MARIANO	Buena idea. ¿Tienes suelto?
GUSTAVO	No te molestes, Tomás. Yo le llamaré. Y desde ahora yo voy a manejar porque tú hablando nunca te fijas en el camino.

Topics for Reports

UN VIAJE

¿Cómo resultó el viaje?
¿Quiénes fueron?
¿Cómo hicieron el viaje?
¿Cuánto tiempo se quedaron allí?
¿Te gustó mucho la capital?

El verano pasado fuimos a la capital * *
* *
* *
* *
* *
* *

DE COMPRAS

¿Cuándo piensas ir?
¿Conoces bien las tiendas de allí?
¿Qué tienda te gusta más?
¿En qué calle está?
¿Qué piensas comprar?

Pienso ir de compras a la ciudad * * *
* *
* *
* *
* *
* *

LA CAPITAL

¿Tienes un plano de la ciudad?
¿En qué hotel estuviste?
¿En qué calle estaba?
¿Estaba cerca del centro?
¿Te gustan las ciudades grandes?

He estado una vez en la capital, pero
no la conozco bien * * * * * * * * * *
* *
* *
* *
* *
* *

AL EXTRANJERO

¿Qué ciudades quieres ver?
¿Cómo te gustaría hacer el viaje?
¿Cuánto costaría el viaje más o menos?
¿Van algunos de tus amigos al ex-
tranjero este verano?

Me gustaría mucho ir al extranjero * * *
* *
* *
* *
* *
* *

NUESTRO VIAJE

¿Cuánto tiempo duró el viaje?
¿Por qué ciudades pasaron?
¿Qué ciudad te gustó más?
¿Sacaste algunas fotos en el viaje?

Hicimos el viaje en coche * * * * * * * *
* *
* *
* *
* *

Reading and Conversational Practice

1

[Habla Inés.]   Acabo de ver a Luisa.   Dice que para su cumpleaños sus padres le regalaron un tocadiscos precioso, que tiene unos tonos muy buenos.   Quiere que vaya un día de éstos a verlo, y también a escuchar los discos que le regalaron sus hermanos, que son de una música muy alegre.

1 ¿A quién acaba de ver Inés?
2 ¿Qué le regalaron los padres?
3 ¿Qué es lo que quiere Luisa?

4 ¿Qué le regalaron sus herma-nos?
5 ¿Cómo son los discos?

2

[Habla Ramón.]   Cuando llegamos a la capital, el coche del Hotel Colón nos esperaba en la estación.   Es un hotel magnífico, y se come muy bien.   Por la tarde salimos a ver la ciudad.   Mirando el plano, pronto encontramos el Palacio Nacional, que es el edificio que más queríamos ver. Desde allí fuimos a la Avenida de los Héroes, donde están las mejores tiendas, y de allí a la Alameda, que estaba muy animada a esa hora.   Nos sentamos en un restaurante a tomar algo, y allí nos quedamos una media hora viendo pasar a la gente que iba y venía.

1 ¿Qué coche los esperaba en la estación?
2 ¿Cómo es el Hotel Colón?
3 ¿Cuándo salieron a ver la ciudad?
4 ¿Cuál era el edificio que que-rían ver?

5 ¿Dónde están las mejores tien-das?
6 ¿Cómo estaba la Alameda?
7 ¿Dónde se sentaron?
8 ¿Cuánto tiempo se quedaron allí?
9 ¿Qué es lo que veían?

3

[Habla Manuel.]   Esta tarde estuve mirando coches, y vi uno que es formidable.   Es algo parecido al de Jorge, pero éste es muchísimo mejor. Además, el suyo ya tiene cerca de cien mil kilómetros, y éste solamente unos setenta mil.   Ojalá que esté allí todavía cuando vaya con mi padre este fin de semana, a ver qué le parece.   De los que he visto hasta ahora, es el que más me gusta.

1 ¿Dónde estuvo Manuel esta tarde?
2 ¿Cómo le pareció uno de los coches?
3 ¿Cuántos kilómetros tiene?
4 ¿Cuántos tiene el de Jorge?
5 ¿Con quién va a verlo?
6 ¿Cuándo piensan ir?

4

[Habla Nacho.]   Ayer fuí de pesca con Tomás y Eduardo.   Fuimos en el coche de Eduardo porque el mío es tan pequeño que no hay sitio para poner todos los avíos.   Alquilamos un bote por dos horas.   Es un buen sitio para pescar, y mis amigos tuvieron suerte; pero yo, por mi parte, todo lo que pesqué fueron dos bien pequeños.   Menos mal que llevamos los trajes de baño y tuvimos tiempo de nadar hasta la hora de irnos a casa.

1 ¿A dónde fué Nacho ayer?
2 ¿En qué coche fueron?
3 ¿Por qué no fueron en el coche de Nacho?
4 ¿Qué es lo que alquilaron?
5 ¿Quiénes tuvieron suerte?
6 ¿Cuánto pescó Nacho?
7 ¿Hasta qué hora nadaron?

5

[Habla Berta.]   Ya tengo todo listo para ir mañana al lago.   Saldremos de aquí a eso de las tres.   Cada uno llevará su merienda.   Edmundo se encarga de comprar las bebidas, y a Vicente le dije que lleve la radio. Vendrán a buscarme Luis y Belita un poco antes de las tres, y los otros irán en el coche de Andrés.   Creo que va a hacer un tiempo magnífico, y que lo pasaremos muy bien.   Ojalá que Juanito no se olvide de llamar al de los botes, como le encargué, porque mañana habrá mucha gente.

1 ¿Cuándo van a ir al lago?
2 ¿A qué hora saldrán?
3 ¿De qué se encarga Edmundo?
4 ¿Qué va a llevar Vicente?
5 ¿Con quién va Belita?
6 ¿En qué coche irán los otros?
7 ¿Por qué quiere llamar al de los botes?

6

[Habla Ernesto.] Todos los que vayan por primera vez a la capital deben ir a ver el Parque Buenavista. Es un sitio lindísimo, sobre todo en la primavera, y no queda muy lejos del centro. En la Plaza de la Victoria, que es donde están los mejores hoteles, se puede tomar el autobús, que pasa cada diez minutos, y en poco tiempo esta uno allí.

1 ¿Qué deben ver los que vayan a la capital?
2 ¿Cómo es el parque?
3 ¿Cuándo está más lindo?
4 ¿Dónde se toma el autobús?
5 ¿Qué hoteles están allí?
6 ¿Cada cuántos minutos pasa el autobús?

7

[Habla Carmen.] Hasta el verano pasado, siempre pasamos las vacaciones en el campo, que a papá le gustaba tanto. Este año fuimos a la playa donde siempre van los Vegas, y ¡qué bien lo pasamos! Tenía razón Silvia cuando me decía que es un sitio muy divertido. Por las mañanas íbamos en bicicleta al campo de tenis, y algunas tardes salíamos en botes, de merienda. Y por las noches siempre había fiestas. Lo que tiene gracia es que ahora papá dice que para pescar, no hay mejor sitio que el mar.

1 ¿Dónde pasaban las vacaciones?
2 ¿Por qué iban siempre allí?
3 ¿Dónde fueron este año?
4 ¿Cómo es el sitio?
5 ¿Qué hacían por las mañanas?
6 ¿Cómo iban de merienda?
7 ¿Cuándo había fiestas?
8 ¿Qué dice ahora el papá?

8

[Habla Celia.] Este verano pensamos hacer un viaje a la capital. A mamá le gustaría ir en coche y pasar por donde vive su hermana, que quiere tanto que vayamos a verla. Pero papá dice que con dos semanas de vacaciones, y seis días de camino, no va a quedar tiempo para ver nada en la ciudad. Prefiere que vayamos en avión, sobre todo porque si tenemos accidentes en el camino, ¡adiós, vacaciones!

1 ¿Dónde piensan ir este verano?
2 ¿A quién le gustaría ir en coche?
3 ¿Por dónde quiere pasar la mamá?
4 ¿Cuántas semanas tienen de vacaciones?
5 ¿Cuántos días estarían de camino?
6 ¿Cómo prefiere ir el padre?

9

[Habla Eugenio.]   Voy a quedarme aquí este verano porque tengo un empleo en un restaurante muy bueno.   También mi primo Manolo trabajará allí.   Me quedaré con mis tíos porque mi familia va a pasar las vacaciones en la playa.   Manolo y yo tenemos libres el domingo y el lunes, y podemos ir a pasarlos con mi familia.   Por fortuna, mi primo tiene un coche nuevo que es estupendo.   El mío ya no está para tantos viajes.

1 ¿Por qué se queda Eugenio aquí este verano?
2 ¿Qué va a hacer Manolo?
3 ¿Con quién se queda Eugenio?

4 ¿Dónde va su familia?
5 ¿Qué días no trabajan en el restaurante?
6 ¿Cómo es el coche de Manolo?

10

[Habla Juanita.]   El otro día llegué a casa de Silvia un poco tarde porque tuve ensayo.   Los muchachos estaban en un grupo hablando como siempre de coches, de cuántos kilómetros tienen, de quién tiene ya licencia, que si gastan mucho en gasolina . . .   ¡Una lata!   Y las muchachas estaban hablando de discos nuevos.   Silvia tenía unos muy bonitos, y yo quería oírlos.   Los muchachos, al escuchar la música, se acordaron de que las chicas estábamos allí, y que queríamos bailar.   Al fin pasamos muy bien la tarde.

1 ¿Por qué llegó tarde Juanita?
2 ¿De qué estaban hablando los muchachos cuando llegó?
3 ¿De qué hablaban las muchachas?

4 ¿Por qué quería Juanita oír los discos?
5 ¿Qué es lo que querían las chicas?
6 ¿Cómo pasaron la tarde?

Index of Equivalents

NOMBRES DE MUCHACHOS

Alberto	Guillermo
Alfonso	Gustavo
Alfredo	Homero
Alonso	Hugo
Andrés	Joaquín
Angel	Jorge
Antonio	José
Arturo	Juan
Bernardo	Julián
Carlos	Lucio
Claudio	Luis
Daniel	Manolo
David	Manuel
Diego	Mario
Edmundo	Mauricio
Eduardo	Miguel
Eliseo	Nacho
Emilio	Pablo
Enrique	Paco
Ernesto	Paquito
Eugenio	Pedro
Eusebio	Pepe
Evàristo	Rafael
Federico	Ramón
Felipe	Raúl
Fernando	Ricardo
Francisco	Roberto
Gabriel	Rolando
Gilberto	Tomás
Gregorio	Vicente

NOMBRES DE MUCHACHAS

Adela	Gloria
Alicia	Graciela
Amalia	Inés
Ana	Isabel
Andrea	Josefa
Anita	Juanita
Antonia	Julia
Aurelia	Leonora
Beatriz	Lucía
Belita	Luisa
Berta	Lupe
Carlota	Manuela
Carmen	Margarita
Carolina	María
Cecilia	Mariana
Celia	Patricia
Cristina	Pilar
Chavela	Ramona
Dorotea	Raquel
Elena	Rosalía
Elisa	Rosita
Ema	Sara
Emilia	Silvia
Estela	Teresa
Eufemia	Victoria
Felisa	Virginia
Francisca	

Index of Equivalents

References are to Units and Basic Dialogue sentences except when preceded by the symbol "P" (Pattern Practice sentences).

A

about	About two hours.	Unas dos horas.	6.18
	That record's about over.	Ese disco está para terminar.	13.4
abroad	We may go abroad.	Quizá vayamos al extranjero.	19.3
accident	He had an automobile accident.	Tuvo un accidente de automóvil.	14.16
ache	I ache all over.	Me duele todo el cuerpo.	14.3
address	What's the Vegas' address?	¿Cuál es la dirección de los Vegas?	5.17
afternoon	Good afternoon.	Buenas tardes.	1.2
	In the afternoon or evening.	Por la tarde o por la noche.	6.16
	We'll have time this afternoon.	Tenemos tiempo esta tarde.	6.19
afterwards	Afterwards Joe played his guitar.	Después José tocó la guitarra.	11.19
ago	An hour ago they called a rehearsal.	Hace una hora nos llamaron a ensayar.	13.P2
ahead	Go straight ahead.	Siga derecho.	12.2
	Go straight ahead.	Vaya todo seguido.	20.13
all	We all call him Uncle Boni.	Todos lo llamamos tío "Boni".	4.19
	I don't like the vegetables at all.	No me gustan nada las legumbres.	7.12
	I ache all over.	Me duele todo el cuerpo.	14.3
all right	All right. Bring me some, please.	Muy bien. Tráigamelo, por favor.	7.7
	That's all right. I've got some.	No importa, hombre. Yo tengo.	13.7
	That's all right with me.	Me parece muy bien.	17.14
	All right. Want me to call him?	Bueno. ¿Quieres que le llame?	17.16
almost	Almost every week.	Casi todas las semanas.	8.14
already	He's twenty years old already.	Tiene ya veinte años.	4.8
also	He's also very smart.	También es muy listo.	3.5
always	The food's always bad.	La comida siempre es mala.	7.10
am	I'm fine, thank you.	Estoy bien, gracias.	1.7
	I'm Mr. López.	Yo soy el señor López.	2.8
	I'm finishing it now.	Ya lo estoy terminando.	9.16
ankle	He hurt his ankle.	Se lastimó el tobillo.	14.P1

i

another	Shall we play another?	¿Ponemos otro?	13.5
	He said that she ought to stay in bed another day.	Dijo que debía guardar cama un día más.	14.9
any	Do you have any brothers and sisters?	¿Tienes hermanos?	4.1
	He doesn't live in the city any longer.	Ya no vive en la ciudad.	5.8
anyone	Was anyone else injured?	¿Hubo alguien más herido?	14.19
anything	Would you like anything else?	¿Desean algo más?	7.18
April	In April.	En abril.	10.P3
are	Hi, Frank! How are you?	¡Hola, Paco! ¿Cómo estás?	1.4
	How are you, Mr. Méndez?	¿Cómo está usted, señor Méndez?	1.6
	How are Paul and Louise?	¿Cómo están Pablo y Luisa?	1.11
	You're Isabel, aren't you?	Tú eres Isabel, ¿verdad?	2.9
	We're good friends.	Somos buenos amigos.	3.2
	They're two very likeable girls.	Son dos chicas muy simpáticas.	3.14
	They're always giving the news.	Siempre están dando las noticias.	9.10
	These shoes are too small for me.	Estos zapatos me quedan pequeños.	12.19
arm	He has his arm bandaged.	Lleva el brazo vendado.	14.17
around	I leave around eight o'clock.	Salgo a eso de las ocho.	6.8
arrive	Have Fred and Dorothy arrived?	¿Han llegado Federico y Dorotea?	15.4
August	The 27th of August.	El 27 de agosto.	10.P4
aunt	I have only one aunt.	Tengo sólo una tía.	4.P1
automobile	He had an automobile accident.	Tuvo un accidente de automóvil.	14.16
avenue	We live on Royal Avenue.	Vivimos en la Avenida Real.	5.11
awful	The food's awful.	La comida es malísima.	7.11

B

back	My back aches.	Me duele la espalda.	14.P6
	We'd be back on Monday.	Estaríamos de vuelta el lunes.	19.15
bad	That's too bad.	¡Qué lástima!	1.14
	The food's always bad.	La comida siempre es mala.	7.10
	The weather is always bad.	Siempre hace mal tiempo.	10.19
	Do you feel bad?	¿Te sientes mal?	14.1
baggage	I have the baggage ready.	Ya tengo el equipaje listo.	19.P4
balcony	I saw it from the balcony.	Yo lo vi desde el balcón.	11.3
band	I play in the band.	Toco en la banda.	8.2
bandage	He has his arm bandaged.	Lleva el brazo vendado.	14.17
bank	It's right next to the National Bank.	Queda al lado del Banco Nacional.	12.4

bargain	It was a bargain.	**Fué una ganga.**	12.15
baseball	I like baseball.	**Me gusta el béisbol.**	8.P1
basket	Don't forget the picnic basket.	**No olvides la cesta de merienda.**	16.P8
bathing	Don't forget your bathing suit.	**No olvides el traje de baño.**	16.12
be	You're going to be late.	**Vas a llegar tarde.**	6.6
	At what time do you have to be home?	**¿A qué hora tienes que estar en casa?**	6.P6
	It's going to be very good.	**Va a ser muy bueno.**	8.18
	I'm going to be fifteen.	**Voy a cumplir quince.**	10.9
	There's going to be quite a crowd.	**Va a haber mucha gente.**	15.12
beach	We plan to go to the beach.	**Pensamos ir a la playa.**	19.9
beat	We're going to beat them.	**Vamos a ganarles.**	8.19
because	Because the food is bad.	**Porque la comida es mala.**	7.10
bed	He said that she ought to stay in bed another day.	**Dijo que debía guardar cama un día más.**	14.9
been	This winter has been awful.	**Este invierno ha sido malísimo.**	10.20
begin	It begins at nine.	**Empieza a las nueve.**	8.7
behind	It is behind the bank.	**Queda detrás del banco.**	12.P1
best	We've got the best team.	**Tenemos el mejor equipo.**	8.20
better	I hope she gets better soon.	**Ojalá que se mejore pronto.**	1.15
	I'm better.	**Estoy mejor.**	1.P2
	I like bowling better.	**Me gusta más jugar al boliche.**	8.12
	I hope that everything turns out better.	**Ojalá que todo resulte mejor.**	13.20
big	You see fish there, this big.	**Se ven allí peces así de grandes.**	16.18
bike	Others went on their bikes.	**Otros fueron en bicicleta.**	11.12
bill	The bill, please.	**La cuenta, por favor.**	7.19
birthday	What day is your birthday?	**¿Qué día es tu cumpleaños?**	10.7
black	I have to buy some black shoes.	**Tengo que comprar zapatos negros.**	12.18
block	It is one block from the bank.	**Queda a una cuadra del banco.**	12.P1
blouse	I have to buy a white blouse.	**Tengo que comprar una blusa blanca.**	12.P6
blue	It's two shades of blue.	**Es azul de dos tonos.**	12.12
boat	You can rent boats there.	**Allí se pueden alquilar botes.**	16.14
	We'd like to make the trip by boat.	**Nos gustaría hacer el viaje en vapor.**	19.P2
book	What book are you reading?	**¿Qué libro estás leyendo?**	9.13
boring	It is a boring picture.	**Es una película aburrida**	17.P4

both	Here come both girls.	Ahí vienen las dos chicas.	3.15
bother	Don't bother.	No te molestes.	18.5
bought	She bought a new dress.	Se compró un vestido nuevo.	12.11
	She bought it at the Fashion Shop.	Lo compró en la tienda Novedades.	12.14
bowl	I like bowling better.	Me gusta más jugar al boliche.	8.12
boy	What's that boy's name?	¿Cómo se llama ese muchacho?	2.13
	Who are those boys?	¿Quiénes son esos chicos?	3.P2
	Boy, am I hungry!	Chico, ¡qué hambre tengo!	7.3
bread	Pass me the bread, please.	Pásame el pan, por favor.	7.P4
break	He broke a tooth.	Se rompió un diente.	14.12
breakfast	I like this breakfast.	Me gusta este desayuno.	7.P1
bring	Bring me some, please.	Tráigamelo, por favor.	7.7
	I'll bring you a chair.	Voy a traerte una silla.	18.4
broke	He broke a tooth.	Se rompió un diente.	14.12
brother	I have only one brother.	Tengo sólo un hermano.	4.7
building	What building do you suppose that is?	¿Qué edificio será aquél?	20.1
bus	I take the bus at 8:15.	Tomo el autobús a las ocho y cuarto.	6.9
butter	Pass me the butter, please.	Pásame la mantequilla, por favor.	7.P4
buy	I have to buy some black shoes.	Tengo que comprar zapatos negros.	12.18

C

cafeteria	Don't you ever eat in the cafeteria?	¿Nunca comes en la cafetería?	7.9
call	We call him Uncle Boni.	Lo llamamos tío "Boni".	4.19
	They called a rehearsal.	Nos llamaron a ensayar.	13.14
	Who's calling?	¿De parte de quién?	17.5
	I'll call him.	Voy a llamarlo.	17.7
	Want me to call him?	¿Quieres que le llame?	17.16
camera	My parents are going to give me a camera.	Mis padres van a regalarme una cámara.	10.P5
can	I can come by your house.	Puedo pasar por tu casa.	10.15
	We can buy all our gifts here.	Aquí podemos comprar todos los regalos.	20.5
capital	So, you're going to the capital?	¿Conque te vas a la capital?	19.17
car	Richard took some of us in his car.	Ricardo llevó a algunos en su coche.	11.11
care	Edmund will take care of the drinks.	Edmundo se encargará de las bebidas.	16.5

catch	With a little luck, you can catch a lot.	Con un poco de suerte, se puede pescar mucho.	16.20
cathedral	The cathedral is at the end of this street.	La catedral está al final de esta calle.	20.P3
center	It's near the center of town.	Está muy cerca del centro.	5.14
chair	I'll bring you a chair.	Voy a traerte una silla.	18.4
change	I haven't any change.	No tengo suelto.	13.6
	Watch out! The light's changing.	¡Cuidado, que cambian las luces!	20.3
cheap	That blue suit is very cheap.	Ese traje azul es muy barato.	12.P8
cheese	I don't like cheese very much.	No me gusta mucho el queso.	7.P3
chess	Joseph likes to play chess.	A José le gusta jugar al ajedrez.	8.P7
chicken	Chicken and rice for me.	Para mí el arroz con pollo.	7.8
child	Joe is an only child.	Pepe es hijo único.	4.15
chocolate	Bring me some chocolate ice cream.	Tráigame un helado de chocolate.	7.P6
city	We have three cousins here in the city.	Tenemos tres primos en esta ciudad.	4.11
cloudy	We'll go to the lake if it isn't cloudy.	Iremos al lago si no está nublado.	16.P5
coffee	I bought a coffee set.	Compré un juego de café.	20.P7
cold	Louise has a cold.	Luisa tiene catarro.	1.13
	In what months is it cold?	¿En qué meses hace frío?	10.P7
	When the boys got home, they were cold.	Cuando los chicos llegaron a casa, tenían frío.	13.P8
color	It has to be a dark color.	Tiene que ser de color oscuro.	12.17
Columbus	I live on Columbus Street.	Vivo en la calle Colón.	5.2
come	Here come both girls.	Ahí vienen las dos chicas.	3.15
	When do you want to come to my house?	¿Cuándo quieres venir a mi casa?	6.P7
	Come on over to my house.	Vente a mi casa.	9.5
	I can come by your house.	Puedo pasar por tu casa.	10.15
	At last, here comes Arthur.	Por fin, aquí llega Arturo.	13.12
	I'll come by for you at six-thirty.	Pasaré por ti a las seis y media.	17.18
	Come in, Frank.	Adelante, Paquito.	18.1
	When are you coming over to hear them?	¿Cuándo vas a venir a oírlos?	18.14
	We'll come here some day before we leave.	Vendremos un día antes de marcharnos.	20.6
concert	We are going to give a concert.	Vamos a dar un concierto.	8.4
cookie	My uncle took the cookies.	Mi tío llevó las galletas.	11.P2
corner	Our friends are going to wait for us on the corner.	Los amigos van a esperarnos en la esquina.	17.P5

cost	The trouble is that it costs a lot.	Lo malo es que cuesta mucho.	19.4
country	Next Saturday I'm going to the country.	El sábado que viene voy al campo.	8.P8
	How'd you fare in the country?	¿Cómo lo pasaste en el campo?	11.8
couple	Who is that couple that dances so well?	¿Quién es esa pareja que baila tan bien?	15.17
course	Of course!	¡Claro que sí!	8.17
cousin	My cousin Joe is an only child.	Mi primo Pepe es hijo único.	4.15
covers	George's car doesn't have any seat covers.	El coche de Jorge no tiene cubreasientos.	18.P4
crossroad	Charley got lost at a crossroad.	En un cruce del camino Carlitos se perdió.	11.14
crowd	What a crowd!	¡Qué gentío!	11.2
	There's going to be quite a crowd.	Va a haber mucha gente.	15.12

D

dance	What day is the dance?	¿Qué día es el baile?	8.5
	Do you want to dance?	¿Vamos a bailar?	15.9
dark	It has to be a dark color.	Tiene que ser de color oscuro.	12.17
date	What's the date?	¿A cuántos estamos?	10.1
day	What day is the dance?	¿Qué día es el baile?	8.5
December	The 27th of December.	El 27 de diciembre.	10.P4
delicious	The roast lamb is delicious.	El cordero asado está delicioso.	7.6
dentist	Did he go to the dentist's?	¿Fué al dentista?	14.13
dessert	Do you like desserts?	¿Te gustan los postres?	7.P2
detective	Later there's a detective movie.	Más tarde hay una película policíaca.	9.20
did	Why didn't you go on the picnic yesterday?	¿Por qué no fuiste ayer a la merienda?	11.5
different	A different one, that has more music.	Otra que tenga más música.	9.11
dining	We are in the dining room.	Estamos en el comedor.	18.P1
dinner	I like this dinner.	Me gusta esta comida.	7.P1
	They invited us to dinner.	Nos invitaron a comer.	11.6
dish	I like this dish.	Me gusta este plato.	7.P1
	I bought a set of dishes.	Compré una vajilla.	20.P7
dizzy	Do you feel dizzy?	¿Te sientes mareado?	14.P5
do	Do you know who that lady is?	¿Sabes quién es esa señorita?	2.17
	I don't know.	No lo sé.	2.18
	What do you plan to do tonight?	¿Qué piensas hacer esta noche?	9.1

	What can I do for you?	¿En qué puedo servirle?	12.5
	Are you doing anything to-night?	¿Tienes esta noche libre?	17.9
doctor	What did the doctor tell her?	¿Qué le dijo el médico?	14.8
does	What street does your cousin live on?	¿En qué calle vive tu primo?	5.7
	He doesn't live in the city any longer.	Ya no vive en la ciudad.	5.8
	It begins at nine, doesn't it?	Empieza a las nueve, ¿ver-dad?	8.7
doll	We can buy some dolls here.	Aquí podemos comprar unas muñecas.	20.P8
doubt	I doubt it.	Lo dudo.	10.18
down	Go on down the Calzada San Martín.	Siga usted por la Calzada San Martín.	20.17
downtown	We saw Julie downtown.	Vimos a Julia en el centro.	12.10
dress	She bought a new dress.	Se compró un vestido nuevo.	12.11
drink	Edmund will take care of the drinks.	Edmundo se encargará de las bebidas.	16.5
drive	200 Buenavista Drive.	Paseo Buenavista, número 200.	5.18
driver	Does Robert have his driver's license?	¿Tiene Roberto licencia para manejar?	18.9

E

earn	I want to earn some money.	Quiero ganar algún dinero.	19.P3
eat	Do you eat at twelve?	¿Comes a las doce?	6.13
	I eat at one, now.	Ahora como a la una.	6.14
	When do you want to eat?	¿Cuándo quieres comer?	6.P7
eight	Alice's sister is eight years old.	La hermana de Alicia tiene ocho años.	4.P5
	I leave around eight o'clock.	Salgo a eso de las ocho.	6.8
	We live at 800 Royal Avenue.	Vivimos en la Avenida Real, número 800 (ochocientos).	5.P5
eighteen	Is Emile eighteen years old?	¿Tiene Emilio diez y ocho años?	4.P6
eighty	I live at 80 Columbus Street.	Vivo en la calle Colón, nú-mero 80 (ochenta).	5.P1
eleven	Alice's sister is eleven years old.	La hermana de Alicia tiene once años.	4.P5
else	Would you like anything else?	¿Desean algo más?	7.18
empty	There wasn't an empty table left.	No quedaba una mesa deso-cupada.	13.11
end	You'll find it at the end of the street.	Al final de la calle la encon-trará.	20.20

especially	My uncle, especially, is very likeable.	Sobre todo, mi tío es muy simpático.	4.17
even	Yesterday there were even more people here.	Ayer había aun más gente.	13.9
evening	Good evening.	Buenas noches.	1.3
	In the afternoon or evening.	Por la tarde o por la noche.	6.16
ever	Don't you ever eat in the cafeteria?	¿Nunca comes en la cafetería?	7.9
every	We bowl almost every week.	Jugamos al boliche casi todas las semanas.	8.14
everybody	Regards to everybody.	Recuerdos a todos.	1.20
everyone	Everyone's taking his own lunch.	Cada uno lleva su merienda.	16.4
everything	I hope everything turns out better.	Ojalá que todo resulte mejor.	13.20
exactly	I'll tell them to wait for us at exactly eight o'clock.	Les diré que nos esperen a las ocho en punto.	17.P3
excited	After the picnic, we were excited.	Después de la merienda, estábamos agitados.	16.P4
	We're excited about the trip.	Estamos entusiasmados con el viaje.	19.20
expect	I'll expect you at three.	A las tres te espero.	10.16
	I'll tell them to expect us at seven.	Les diré que nos esperen a las siete.	17.13
expensive	That blue suit is rather expensive.	Ese traje azul es bastante caro.	12.P8
extreme	Her hairdo is too extreme.	Su peinado es muy exagerado.	15.16
eye	Do you have the record "Green Eyes"?	¿Tienen el disco "Ojos Verdes"?	12.6

F

face	He hurt his face.	Se lastimó la cara.	14.P1
fair	Just fair.	Regular, nada más.	13.16
fall	How is the weather here in the fall?	¿Cómo es el tiempo aquí en el otoño?	10.P6
	He fell on the stairway.	Se cayó en la escalera.	14.11
family	The family is well?	La familia ¿está bien?	1.9
far	It's not far from here.	No está muy lejos de aquí.	5.10
	We walked as far as the Lookout.	Fuimos a pie hasta el Mirador.	11.13
fare	How'd you fare in the country?	¿Cómo lo pasaste en el campo?	11.8
fashion	She bought it at the Fashion Shop.	Lo compró en la tienda Novedades.	12.14
fast	My watch is fast.	Mi reloj anda adelantado.	6.P2

father	What's Charles' father like?	**¿Cómo es el padre de Carlos?**	4.P2
feast	What a feast!	**¡Qué banquetazo!**	11.7
February	In February.	**En febrero.**	10.P3
feel	Do you feel bad?	**¿Te sientes mal?**	14.1
fell	He fell on the stairway.	**Se cayó en la escalera.**	14.11
fever	She doesn't have any fever now.	**Ya no tiene fiebre.**	14.7
few	We're going to spend a few days in the country.	**Vamos a pasar unos días en el campo.**	19.12
fifteen	Is Emile fifteen years old?	**¿Tiene Emilio quince años?**	4.P6
	Our telephone number is 15-90-04.	**Nuestro teléfono es quince—noventa—cero cuatro.**	5.16
	I take the bus at 8:15.	**Tomo el autobús a las ocho y cuarto.**	6.9
fifth	At the fifth intersection, you have to turn left.	**En la quinta bocacalle, hay que doblar a la izquierda.**	12.P2
fifty	I live at 50 Columbus Street.	**Vivo en la calle Colón, número 50 (cincuenta).**	5.P1
find	It took him an hour to find us.	**Tardó una hora en encontrarnos.**	11.15
fine	Fine, and you?	**Muy bien, ¿y tú?**	1.5
	I'm fine, thank you.	**Estoy bien, gracias.**	1.7
	It's a fine place to fish.	**Es un buen sitio para pescar.**	16.16
	Fine!	**¡Magnífico!**	17.12
finger	Thomas broke a finger.	**Tomás se rompió un dedo.**	14.P2
finish	I'm finishing it now.	**Ya lo estoy terminando.**	9.16
	I plan to finish this book.	**Pienso terminar este libro.**	10.P10
first	The first of March.	**El primero de marzo.**	10.11
fish	I don't like fish very much.	**No me gusta mucho el pescado.**	7.P3
	It's a fine place to fish.	**Es un buen sitio para pescar.**	16.16
	You see fish there, this big.	**Se ven allí peces así de grandes.**	16.18
fishing	Joseph likes to go fishing.	**A José le gusta ir de pesca.**	8.P7
	Then I'll take my fishing gear.	**Entonces llevaré mis avíos de pesca.**	16.19
five	We have five cousins here in the city.	**Tenemos cinco primos en esta ciudad.**	4.P4
	We live at 500 Royal Avenue.	**Vivimos en la Avenida Real, número 500 (quinientos).**	5.P5
food	The food's always bad.	**La comida siempre es mala.**	7.10
foot	He hurt his foot.	**Se lastimó un pie.**	14.P1
football	I like football.	**Me gusta el fútbol.**	8.P1
forget	Don't forget your bathing suit.	**No olvides el traje de baño.**	16.12
	You're always forgetting something.	**Siempre se te olvida algo.**	20.9

fork	I haven't got a fork.	**Me falta el tenedor.**	7.P7
fortunately	Fortunately, there is a newsstand over there.	**Por fortuna, allí hay un kiosko.**	20.11
forty	I live at 40 Columbus Street.	**Vivo en la calle Colón, número 40 (cuarenta).**	5.P1
four	She's only four years old.	**Tiene solamente cuatro años.**	4.14
	His house number is 400.	**El número de su casa es 400 (cuatrocientos).**	5.P4
fourteen	Is Emile fourteen years old?	**¿Tiene Emilio catorce años?**	4.P6
fourth	At the fourth intersection, you have to turn left.	**En la cuarta bocacalle, hay que doblar a la izquierda.**	12.P2
free	The first afternoon I have free.	**La primera tarde que tenga libre.**	18.15
fresh	I'm going to have some fresh fruit.	**Voy a tomar fruta fresca.**	13.P1
Friday	Are you going to the game Friday?	**¿Vas al partido del viernes?**	8.16
fried	Bring me some fried potatoes.	**Tráigame papas fritas.**	7.P6
friend	This is my friend Julian.	**Éste es mi amigo Julián.**	2.4
front	It is in front of the bank.	**Queda enfrente del banco.**	12.P1
fruit	Do you like fruit?	**¿Te gustan las frutas?**	7.P2
fun	He's lively and lots of fun.	**Es alegre y divertido.**	3.4
	He's lots of fun.	**Tiene mucha gracia.**	4.20
further	Do you have much further to go?	**¿Te falta mucho?**	9.15

G

game	Are you going to the game Friday?	**¿Vas al partido del viernes?**	8.16
gas	Does he spend much on gas?	**¿Gasta mucho en gasolina?**	18.11
gave	Yesterday we gave a concert.	**Ayer dimos un concierto.**	11.P3
gear	I'll take my fishing gear.	**Llevaré mis avíos de pesca.**	16.19
get	I hope she gets better soon.	**Ojalá que se mejore pronto.**	1.15
	We get here at 8:30.	**Llegamos aquí a las ocho y media.**	6.10
	We'll get together a little before four.	**Nos veremos un poco antes de las cuatro.**	6.20
	What station shall we get?	**¿Qué estación ponemos?**	9.7
	We'll get whichever station you want.	**Vamos a poner la estación que tú quieras.**	9.P6
	How do you get to the Alameda?	**¿Por dónde se va a la Alameda?**	20.16
gift	We can buy all our gifts here.	**Aquí podemos comprar todos los regalos.**	20.5
girl	That girl is Felicia, isn't she?	**Esa muchacha es Felisa, ¿verdad?**	2.15
	She's a very pretty girl.	**Es una chica muy bonita.**	3.7

give	We're going to give a concert.	**Vamos a dar un concierto.**	8.4
	They're always giving the news.	**Siempre están dando las noti-cias.**	9.10
	I'm giving her a record.	**Voy a regalarle un disco.**	10.14
	Yesterday we gave a concert.	**Ayer dimos un concierto.**	11.P3
glad	Glad to know you.	**Mucho gusto.**	2.6
	I'm glad to know you, too.	**El gusto es mío.**	2.7
glass	I haven't got a glass.	**Me falta el vaso.**	7.P7
go	Hi! How goes it?	**¡Hola! ¿Qué tal?**	1.4
	Well, I've got to go.	**Bueno, tengo que irme.**	1.17
	You're going to be late.	**Vas a llegar tarde.**	6.6
	When do you want to go to the movies?	**¿Cuándo quieres ir al cine?**	6.15
	I'm going with Johnny.	**Voy con Juanito.**	8.9
	It's going to be very good.	**Va a ser muy bueno.**	8.18
	We're going to beat them.	**Les vamos a ganar.**	8.19
	Do you have much further to go?	**¿Te falta mucho?**	9.15
	Why didn't you go on the pic-nic yesterday?	**¿Por qué no fuiste ayer a la merienda?**	11.5
	Go straight ahead.	**Siga derecho.**	12.2
	He said he was going to invite Beatrice.	**Dijo que iba a invitar a Beatriz.**	15.8
	I'll go by for you.	**Iré a buscarte.**	16.8
	They want us to go with them.	**Quieren que vayamos con ellos.**	17.11
	The car has only gone a hun-dred thousand kilometers.	**El coche tiene solamente cien mil kilómetros.**	18.8
	Would you like to go with us?	**¿Te gustaría acompañarnos?**	19.13
	Go straight ahead.	**Vaya todo seguido.**	20.13
good	Good morning.	**Buenos días.**	1.1
	We're good friends.	**Somos buenos amigos.**	3.2
	This restaurant really looks good!	**¡Qué bien está este restau-rante!**	7.2
good-bye	Good-bye. Be seeing you.	**Adiós. Hasta la vista.**	1.19
good-looking	He's very good-looking.	**Es muy bien parecido.**	3.20
got	Well, I've got to go.	**Bueno, tengo que irme.**	1.17
	I haven't got a knife.	**Me falta el cuchillo.**	7.16
	We've got the best team.	**Tenemos el mejor equipo.**	8.20
	Charley got lost.	**Carlitos se perdió.**	11.14
	It was four o'clock when we got there.	**Eran las cuatro cuando lle-gamos.**	13.10
grandfather	I have only one grandfather.	**Tengo sólo un abuelo.**	4.P1
grandmother	I have only one grandmother.	**Tengo sólo una abuela.**	4.P1
gray	She bought a light gray dress.	**Se compró un vestido gris claro.**	12.P4
green	Do you have the record "Green Eyes"?	**¿Tienen el disco "Ojos ver-des"?**	12.6

group	The singing group is wonderful.	El grupo de cantantes es estupendo.	15.13
guest	They are Alfred's guests.	Son los invitados de Alfredo.	15.18
guidebook	We'd better buy a guidebook.	Mejor será que compremos una guía.	20.P6
guitar	Joe played his guitar.	José tocó la guitarra.	11.19
guy	He's a nice guy.	Es un buen chico.	3.3
	The poor guy had an automobile accident.	El pobre tuvo un accidente de automóvil.	14.16

H

had	I had a marvelous time.	Lo pasé estupendamente.	11.9
	He had to go to the dentist's.	Tuvo que ir al dentista.	14.14
	You hadn't seen it.	Tú no lo habías visto.	18.17
hairdo	Her hairdo is too extreme.	Su peinado es muy exagerado.	15.15
ham	I don't like ham very much.	No me gusta mucho el jamón.	7.P3
hand	He hurt his hand.	Se lastimó una mano.	14.P1
happen	What happened to Manuel?	¿Qué le pasó a Manuel?	14.15
happy	After the picnic, we were happy.	Después de la merienda, estábamos contentos.	16.P4
has	Louise has a cold.	Luisa tiene catarro.	1.13
	No, a different one, that has more music.	No, otra que tenga más música.	9.11
	This winter has been awful.	Este invierno ha sido malísimo.	10.20
hat	I have to buy a gray hat.	Tengo que comprar un sombrero gris.	12.P6
have	Well, I've got to go.	Bueno, tengo que irme.	1.17
	Do you have any brothers and sisters?	¿Tienes hermanos?	4.1
	We have three cousins.	Tenemos tres primos.	4.11
	When do you want to have lunch?	¿Cuándo quieres tomar el almuerzo?	6.P7
	I haven't got a knife.	Me falta el cuchillo.	7.16
	Do you have much further to go?	¿Te falta mucho?	9.15
	We went there to have the picnic.	Allí fuimos a merendar.	11.18
	There you have to turn left.	Allí hay que doblar a la izquierda.	12.3
	What would you like to have?	¿Qué desean tomar?	13.1
	He had to go to the dentist's.	Tuvo que ir al dentista.	14.14
	Have Fred and Dorothy arrived?	¿Han llegado Federico y Dorotea?	15.4
	I haven't seen them.	No los he visto.	15.6
	You hadn't seen it.	Tú no lo habías visto.	18.17
head	He hurt his head.	Se lastimó la cabeza.	14.18

hear	I've heard it's a fine place to fish.	He oído que es un buen sitio para pescar.	16.16
	What's that? I can't hear you.	¿Qué dice? No oigo bien.	17.3
	When are you coming over to hear them?	¿Cuándo vas a venir a oírlos?	18.14
heater	George's car doesn't have a heater.	El coche de Jorge no tiene calentador.	18.P4
heavy	That blue suit is a little heavy.	Ese traje azul es un poco pesado.	12.P8
hello	(Good morning.)	Buenos días.	1.1
	(Good afternoon.)	Buenas tardes.	1.2
	(Good evening.)	Buenas noches.	1.3
	Hello!	¡Diga!	17.1
	Hello, Vincent!	¡Bueno, Vicente!	17.8
	Hello. Sorry I'm a little late.	¡Hola! Siento haber llegado un poco tarde.	18.3
here	Here come both girls.	Ahí vienen las dos chicas.	3.15
	We have three cousins here in the city.	Tenemos tres primos en esta ciudad.	4.11
	It's not far from here.	No está muy lejos de aquí.	5.10
	It was four o'clock when we got here.	Eran las cuatro cuando llegamos.	13.10
hero	Go straight ahead until you reach Heroes Avenue.	Vaya todo seguido hasta llegar a la Avenida de los Héroes.	20.14
hi	Hi! How goes it?	¡Hola! ¿Qué tal?	1.4
holiday	It's not long till the holidays.	Ya falta poco para las vacaciones.	10.3
home	What time do you leave home?	¿A qué hora sales de casa?	6.7
	Is Anthony at home?	¿Está en casa Antonio?	17.2
hope	I hope she gets better soon.	Ojalá que se mejore pronto.	1.15
horse	You can rent horses there.	Allí se pueden alquilar caballos.	16.P7
hospital	His brother's in the hospital.	Su hermano está en el hospital.	14.20
hot	In what months is it hot?	¿En qué meses hace calor?	10.P7
	When the boys got home, they were hot.	Cuando los chicos llegaron a casa, tenían calor.	13.P8
hotel	I left it at the hotel.	Lo dejé en el hotel.	20.8
hour	About two hours.	Unas dos horas.	6.18
house	Come on over to my house.	Vente a mi casa.	9.5
how	How goes it? How are you?	¿Qué tal? ¿Cómo estás?	1.4
	How many brothers and sisters do you have?	¿Cuántos hermanos tienes?	4.6
	How near twelve is it?	¿Cuánto falta para las doce?	6.11
	How long does the picture last?	¿Cuánto tiempo dura la película?	6.17

hundred	Number 120.	Número 120 (ciento veinte).	5.12
	The car has only gone a hundred-thousand kilometers.	El coche tiene solamente cien mil kilómetros.	18.8
hungry	Boy, am I hungry!	Chico, ¡qué hambre tengo!	7.3
hurry	Well, hurry up.	Pues date prisa.	6.6
hurt	The tooth was hurting him a lot.	El diente le dolía mucho.	14.14
	He hurt his head.	Se lastimó la cabeza.	14.18

I

ice	I'm going to have a strawberry ice.	Voy a tomar un helado de fresas.	13.P1
	Don't forget the ice water.	No olvides el agua helada.	16.P8
ice cream	Bring me some chocolate ice cream.	Tráigame un helado de chocolate.	7.P6
idea	Sure; good idea.	Sí, hombre, muy buena idea.	16.11
infirmary	You ought to go to the infirmary.	Debes ir a la enfermería.	14.4
injure	Was anyone else injured?	¿Hubo alguien más herido?	14.19
inn	Do you remember Pine Inn?	¿Te acuerdas de la Venta del Pino?	11.16
interesting	It is an interesting picture.	Es una película interesante.	17.P4
intersection	Go straight ahead to the third intersection.	Siga derecho hasta la tercera bocacalle.	12.2
invite	They invited us to dinner.	Nos invitaron a comer.	11.6
	What a nuisance to have to invite my cousin!	¡Qué lata tener que invitar a mi primo!	12.P5
	Who did Charley invite?	¿A quién ha invitado Carlitos?	15.7
	He said he was going to invite Beatrice.	Dijo que iba a invitar a Beatriz.	15.8
	My parents asked me to invite you.	Mis padres me dijeron que te invitara.	19.14
is	The family is well?	La familia ¿está bien?	1.9
	This is my friend Julian.	Éste es mi amigo Julián.	2.4
	Theresa is a friend of Helen's, isn't she?	Teresa es amiga de Elena, ¿verdad?	3.10
	It's near the park.	Queda cerca del parque.	5.20
	My watch is slow.	Mi reloj anda atrasado.	6.5
	How near twelve is it?	¿Cuánto falta para las doce?	6.11
	There isn't any more.	Ya no hay.	7.5
	Here it is.	Aquí la tiene.	7.20
	What's the date?	¿A cuántos estamos?	10.1
	I hope it's nothing serious.	Ojalá no sea nada serio.	14.5
	What building do you suppose that is?	¿Qué edificio será aquél?	20.1

J

January	In January.	**En enero.**	10.P3
job	I've got a good job.	**Tengo un empleo muy bueno.**	19.7
July	The 27th of July.	**El 27 de Julio.**	10.P4
June	In June.	**En junio.**	10.P3
just	They're just friends.	**Son amigos nada más.**	3.18
	It's just ten minutes of.	**Faltan sólo diez minutos.**	6.12
	Yes sir; just a moment.	**Sí, señor. Un momento.**	7.20
	And just think, it was a bargain!	**Y figúrate que fué una ganga.**	12.15
	He just passed his test.	**Acaba de pasar el examen.**	18.10

K

kilometer	The car has only gone a hundred-thousand kilometers.	**El coche tiene solamente cien mil kilómetros.**	18.8
kitchen	We're in the kitchen.	**Estamos en la cocina.**	18.P1
knife	I haven't got a knife.	**Me falta el cuchillo.**	7.16
know	Glad to know you.	**Mucho gusto.**	2.6
	I'm glad to know you, too.	**El gusto es mío.**	2.7
	Do you know who that lady is?	**¿Sabes quién es esa señorita?**	2.17
	I don't know.	**No lo sé.**	2.18
	Do you know Michael?	**¿Conoces a Miguel?**	3.1
	I don't know her.	**No la conozco.**	3.11
	Did Mariana know her part?	**¿Sabía Mariana su papel?**	13.18
	I'll let you know for sure, tomorrow.	**Te lo diré con seguridad mañana.**	19.16

L

lady	Do you know who that lady is?	**¿Sabes quién es esa señorita?**	2.17
	What is that lady's name?	**¿Cómo se llama esa señora?**	2.P10
lake	We're planning to go to the lake.	**Pensamos ir al lago.**	16.1
lamb	The roast lamb is delicious.	**El cordero asado está delicioso.**	7.6
last	What's your last name?	**¿Cuál es tu apellido?**	2.11
	How long does the picture last?	**¿Cuánto tiempo dura la película?**	6.17
	At last, here comes Arthur.	**Por fin, aquí llega Arturo.**	13.12
	At the last minute they called a rehearsal.	**A última hora nos llamaron a ensayar.**	13.14
	Last night they called a rehearsal.	**Anoche nos llamaron a ensayar.**	13.P2
late	You're going to be late.	**Vas a llegar tarde.**	6.6
later	Well, then, see you later.	**Entonces, hasta luego.**	1.18
	See you later.	**Hasta después. (Hasta más tarde.)**	1.P6
	Later there's a detective movie.	**Más tarde hay una película policíaca.**	9.20

least	At least I haven't seen them.	Al menos, no los he visto.	15.6
leave	What time do you leave home?	¿A qué hora sales de casa?	6.7
	I leave around eight o'clock.	Salgo a eso de las ocho.	6.8
	When do you want to leave here?	¿Cuándo quieres salir de aquí?	6.P7
	What time do we leave?	¿A qué hora vamos a salir?	16.6
	We'll leave here around three o'clock.	Saldremos de aquí a eso de las tres.	16.7
	We'll come here some day before we leave.	Vendremos un día antes de marcharnos.	20.6
	I left it at the hotel.	Lo dejé en el hotel.	20.8
left	There you have to turn left.	Allí hay que doblar a la izquierda.	12.3
	The Fashion Shop is on the left.	La tienda Novedades está a mano izquierda.	12.P3
	There wasn't an empty table left.	Ya no quedaba una mesa desocupada.	13.11
	I left it at the hotel.	Lo dejé en el hotel.	20.8
leg	He broke a leg.	Se rompió una pierna.	14.P2
lemonade	My uncle took the lemonade.	Mi tío llevó la limonada.	11.P2
less	More or less.	Más o menos.	6.18
lettuce	I don't like lettuce very much.	No me gusta mucho la lechuga.	7.P3
license	Does Robert have his driver's license?	¿Tiene Roberto licencia para manejar?	18.9
light	She bought a light gray dress.	Se compró un vestido gris claro.	12.P4
	Notice how nice the lights are.	Fíjate qué bien están las luces.	15.2
	George's car doesn't have good lights.	El coche de Jorge no tiene faros buenos.	18.P4
lightweight	That blue suit is too lightweight.	Ese traje azul es muy ligero.	12.P8
like	What is Helen like?	¿Cómo es Elena?	3.6
	I don't like the vegetables at all.	No me gustan nada las legumbres.	7.12
	Would you like anything else?	¿Desean algo más?	7.18
	Would you like to play a game?	¿Te gustaría jugar un partido?	8.13
	Here's one you'll like.	Aquí está una que te va a gustar.	9.12
	I'd like to.	Con mucho gusto.	15.10
likeable	They're two very likeable girls.	Son dos chicas muy simpáticas.	3.14
listen	I plan to listen to the radio.	Pienso escuchar la radio.	9.3
little	Charles has a little sister.	Carlos tiene una hermanita.	4.12
	We'll get together a little before four.	Nos veremos un poco antes de las cuatro.	6.20
	She was a little nervous.	Estaba algo nerviosa.	13.19

live	Where do you live?	**¿Dónde vives?**	5.1
	I live on Columbus Street.	**Vivo en la calle Colón.**	5.2
	What street does your cousin live on?	**¿En qué calle vive tu primo?**	5.7
	We live on Royal Avenue.	**Vivimos en la Avenida Real.**	5.11
lively	He's lively and lots of fun.	**Es alegre y divertido.**	3.4
	This place is pretty lively.	**Este sitio está muy animado.**	13.8
living room	We're in the living room.	**Aquí estamos en la sala.**	18.2
long	How long does the picture last?	**¿Cuánto tiempo dura la película?**	6.17
	It's not long till the holidays.	**Ya falta poco para las vacaciones.**	10.3
	What took you so long?	**¿Por qué tardaste tanto?**	13.13
	It is a long picture.	**Es una película larga.**	17.P4
longer	He doesn't live in the city any longer.	**Ya no vive en la ciudad.**	5.8
look	Look. Here they both come.	**Mira, ahí vienen las dos.**	3.15
	This restaurant really looks good!	**¡Qué bien está este restaurante!**	7.2
	The dress looks lovely on her.	**El vestido le va divinamente.**	12.13
	It looks like there's going to be quite a crowd.	**Parece que va a haber mucha gente.**	15.12
lookout	We walked as far as the Lookout.	**Fuimos a pie hasta el Mirador.**	11.13
lost	Charley got lost.	**Carlitos se perdió.**	11.14
lot	He's lively and lots of fun.	**Es alegre y divertido.**	3.4
	He's lots of fun.	**Tiene mucha gracia.**	4.20
	The tooth was hurting him a lot.	**El diente le dolía mucho.**	14.14
love	Sure. I'd love to.	**Ya lo creo. Me encantaría.**	18.19
lovely	The dress looks lovely on her.	**El vestido le va divinamente.**	12.13
	Look, what a lovely dress!	**¡Mira, qué vestido tan lindo!**	15.14
luck	With a little luck.	**Con un poco de suerte.**	16.20
lunch	When do you want to have lunch?	**¿Cuándo quieres tomar el almuerzo?**	6.P7
	Everyone's taking his own lunch.	**Cada uno lleva su merienda.**	16.4

M

magazine	Here's a magazine you'll like.	**Aquí está una revista que te va a gustar.**	9.P3
make	We'd like to make the trip by plane.	**Nos gustaría hacer el viaje en avión.**	19.5
malted	I want a malted milk.	**Yo quiero una leche malteada.**	13.3
man	Who is that man?	**¿Quién es ese señor?**	2.19
	Do you know who that man is?	**¿Sabes quién es ese hombre?**	2.P4

many	How many brothers and sisters do you have?	¿Cuántos hermanos tienes?	4.6
map	Do you have the map of the city?	¿Tienes el plano de la ciudad?	20.7
March	The first of March.	El primero de marzo.	10.11
marvelous	I had a marvelous time.	Lo pasé estupendamente.	11.9
matter	In the afternoon or evening, it doesn't matter.	Por la tarde o por la noche, me es igual.	6.16
	What's the matter? Do you feel bad?	¿Qué te pasa? ¿Te sientes mal?	14.1
	I don't know what's the matter with me.	No sé lo que tengo.	14.2
may	May I speak with Anthony?	¿Puedo hablar con Antonio?	17.4
	We may go abroad.	Quizá vayamos al extranjero.	19.3
May	In May.	En mayo.	10.P3
maybe	Maybe Daniel would like to go, too.	Tal vez a Daniel le gustaría ir también.	17.15
milk	I don't like milk very much.	No me gusta mucho la leche.	7.P3
	I want a malted milk.	Yo quiero una leche malteada.	13.3
minute	It's just ten minutes of.	Faltan sólo diez minutos.	6.12
	At the last minute they called a rehearsal.	A última hora nos llamaron a ensayar.	13.14
	Just a minute. I'll call him.	Un momento. Voy a llamarlo.	17.7
miss	Turn to the right and you can't miss it.	Doble usted a la derecha, y allí mismo lo verá.	20.15
Miss	How are you, Miss Marín?	¿Cómo está usted, señorita Marín?	1.P3
	I think she's Miss Sánchez.	Creo que es la señorita Sánchez.	2.P5
moment	Yes sir; just a moment.	Sí, señor. Un momento.	7.20
Monday	We always rehearse on Mondays.	Siempre ensayamos los lunes.	8.3
money	I want to earn some money.	Quiero ganar algún dinero.	19.P3
month	The 30th of this month.	El treinta de este mes.	10.8
more	More or less.	Más o menos.	6.18
	There isn't any more.	Ya no hay.	7.5
morning	Good morning.	Buenos días.	1.1
	Thomas is coming here in the morning.	Tomás viene aquí por la mañana.	6.P4
mother	What is Charles' mother like?	¿Cómo es la madre de Carlos?	4.P2
motor	George's car doesn't have a good motor.	El coche de Jorge no tiene motor bueno.	18.P4
mountain	Jim would like to go to the mountains.	A Diego le gustaría ir a las montañas.	19.10

movie	When do you want to go to the movies?	¿Cuándo quieres ir al cine?	6.15
	Later there's a detective movie.	Más tarde hay una película policíaca.	9.20
Mr.	How are you, Mr. Méndez?	¿Cómo está usted, señor Méndez?	1.6
	I'm Mr. López.	Yo soy el señor López.	2.8
Mrs.	How are you, Mrs. Gómez?	¿Cómo está usted, señora Gómez?	1.P3
	I think she's Mrs. Chapa.	Creo que es la señora Chapa.	2.P5
much	Thank you very much.	Muchas gracias.	1.16
	I'm much better.	Estoy mucho mejor.	1.P2
	Do you have much further to go?	¿Te falta mucho?	9.15
	With so much rain I doubt it.	Con tanta lluvia, lo dudo.	10.18
museum	That must be the Museum of Sciences.	Aquél debe ser el Museo de Ciencias.	20.P1
music	A different one, that has more music.	Otra que tenga más música.	9.11
must	It must be the National Palace.	Debe ser el Palacio Nacional.	20.2

N

name	My name is Philip.	Me llamo Felipe.	2.1
	What's your name?	¿Cómo te llamas?	2.2
	What's your last name?	¿Cuál es tu apellido?	2.11
	What's that boy's name?	¿Cómo se llama ese muchacho?	2.13
	His name is Boniface.	Su nombre es Bonifacio.	4.18
napkin	I haven't got a napkin.	Me falta la servilleta.	7.P7
national	It's right next to the National Bank.	Queda al lado del Banco Nacional.	12.4
naturally	Naturally everybody wants to swim.	Por supuesto que todos quieren nadar.	16.13
	Naturally. You're always forgetting something.	¡Claro! Siempre se te olvida algo.	20.9
navy	He's the one who's in the Navy.	Es el que está en la Marina.	4.10
near	It's near the center of town.	Está muy cerca del centro.	5.14
	How near twelve is it?	¿Cuánto falta para las doce?	6.11
need	I don't need it.	No lo necesito.	7.17
neither	Neither do I.	Ni a mí tampoco.	7.13
nephew	What is Charles' nephew like?	¿Cómo es el sobrino de Carlos?	4.P2
nervous	She was a little nervous.	Estaba algo nerviosa.	13.19
new	She bought a new dress.	Se compró un vestido nuevo.	12.11
	Hello! What's new?	¡Hola! ¿Qué hay de nuevo?	17.8

news	They're always giving the news.	Siempre están dando las noticias.	9.10
newspaper	Here's a newspaper you'll like.	Aquí está un periódico que te va a gustar.	9.P3
newsstand	There is a newsstand over there.	Allí hay un kiosko.	20.11
next	This next Saturday.	El sábado que viene.	8.6
	It's right next to the National Bank.	Queda al lado del Banco Nacional.	12.4
	At the next intersection, you have to turn left.	En la próxima bocacalle, hay que doblar a la izquierda.	12.P2
nice	He's a nice guy.	Es un buen chico.	3.3
	She's very nice.	Es muy simpática.	3.9
	Notice how nice the lights are.	Fíjate qué bien están las luces.	15.2
niece	What's Charles' niece like?	¿Cómo es la sobrina de Carlos?	4.P2
night	I hope on opening night everything turns out better.	Ojalá que en el estreno todo resulte mejor.	13.20
	Last night they called a rehearsal.	Anoche nos llamaron a ensayar.	13.P2
nine	She's nine years old.	Tiene nueve años.	4.P5
	It begins at nine.	Empieza a las nueve.	8.7
	Number 900.	Número 900 (novecientos).	5.P5
nineteen	Is Emile nineteen years old?	¿Tiene Emilio diez y nueve años?	4.P6
ninety	Number 90.	Número 90 (noventa).	5.16
no	No, I don't know.	No, no lo sé.	2.18
noon	Thomas is coming here at noon.	Tomás viene aquí al mediodía.	6.P4
nose	He broke his nose.	Se rompió la nariz.	14.P2
not	You're Isabel, aren't you?	Tú eres Isabel, ¿verdad?	2.9
	No, I don't know.	No, no lo sé.	2.18
nothing	Nothing in particular.	Nada de particular.	9.2
notice	Notice how nice the lights are.	Fíjate qué bien están las luces.	15.2
novel	Here's a novel you'll like.	Aquí está una novela que te va a gustar.	9.P3
November	The 27th of November.	El 27 de noviembre.	10.P4
now	Now I remember.	Ahora me acuerdo.	4.9
	I'm finishing it now.	Ya lo estoy terminando.	9.16
nuisance	What a nuisance to go shopping!	¡Qué lata es ir de compras!	12.20
number	Number 30.	Número 30.	5.3
	Here's our telephone number.	Éste es nuestro teléfono.	5.15
nurse	What did the nurse tell her?	¿Qué le dijo la enfermera?	14.P3

O

o'clock	It's one o'clock.	Es la una.	6.2
	It's two o'clock.	Son las dos.	6.4
	I leave around eight o'clock.	Salgo a eso de las ocho.	6.8
October	The 27th of October.	El 27 de octubre.	10.P4
office	That must be the Telegraph Office.	Aquél debe ser el Telégrafo.	20.P1
oh	Oh,—that's the reason he has his arm bandaged.	Ah, por eso lleva el brazo vendado.	14.17
old	He's twenty years old already.	Tiene ya veinte años.	4.8
older	One of my brothers is older than I am.	Uno de mis hermanos es mayor que yo.	4.4
oldest	My sister is the oldest.	Mi hermana es la mayor.	4.3
one	One of my brothers is older than I am.	Uno de mis hermanos es mayor que yo.	4.4
	I have only one brother.	Tengo sólo un hermano.	4.7
	He's the one who's in the Navy.	Es el que está en la Marina.	4.10
	It's one o'clock.	Es la una.	6.2
	The ones I have are too small for me.	Los que tengo me quedan pequeños.	12.19
only	I have only one brother.	Tengo sólo un hermano.	4.7
	She's only four years old.	Tiene solamente cuatro años.	4.14
	Joe is an only child.	Pepe es hijo único.	4.15
	Only three days.	Nada más que tres días.	10.4
opening	I hope that on opening night everything turns out better.	Ojalá que en el estreno todo resulte mejor.	13.20
orangeade	I want an orangeade.	Yo quiero una naranjada.	13.2
orchestra	Do you play in the orchestra?	¿Tocas en la orquesta?	8.1
other	The other is younger.	El otro es menor.	4.5
ought	You ought to go to the infirmary.	Debes ir a la enfermería.	14.4
	The doctor said that she ought to stay in bed another day.	El médico dijo que debía guardar cama un día más.	14.9
outlaw	It's a story about outlaws.	Es un cuento de bandidos.	9.14
over	Come on over to my house.	Vente a mi casa.	9.5
	That record's about over.	Ese disco está para terminar.	13.4
	I ache all over.	Me duele todo el cuerpo.	14.3
	There is a newsstand over there.	Allí hay un kiosko.	20.11

P

palace	It must be the National Palace.	Debe ser el Palacio Nacional.	20.2
parade	The parade was terrific.	El desfile fué estupendo.	11.1
pardon	Pardon me, how do you get to the Alameda?	Perdone, ¿por dónde se va a la Alameda?	20.16

parents	Joe's parents are nice.	Los padres de Pepe son muy buenos.	4.16
park	It's near the park.	Queda cerca del parque.	5.20
part	Albert didn't remember his part very well.	Alberto no se acordaba bien de su papel.	13.17
particular	Nothing in particular.	Nada de particular.	9.2
pass	Please pass me the salt.	Por favor, pásame la sal.	7.14
	He just passed his test.	Acaba de pasar el examen.	18.10
passage	I have tourist passage.	Tengo pasaje de turista.	19.P4
passport	I already have my passport.	Ya tengo el pasaporte.	19.P4
pastry	Bring me some pastry.	Tráigame unos pasteles.	7.P6
people	Yesterday there were even more people here.	Ayer había aun más gente.	13.9
pepper	Here's the salt, and also the pepper.	Aquí está la sal, y también la pimienta.	7.15
peso	Ten pesos.	Diez pesos.	12.9
picnic	Why didn't you go on the picnic yesterday?	¿Por qué no fuiste ayer a la merienda?	11.5
	We went there to have the picnic.	Allí fuimos a merendar.	11.8
picture	How long does the picture last?	¿Cuánto tiempo dura la película?	6.17
	I took some pictures.	Saqué unas fotos.	11.4
pine	Do you remember Pine Inn?	¿Te acuerdas de la Venta del Pino?	11.16
pirate	They're going to see the movie, *The Pirate*.	Van a ver la película "El Pirata".	17.10
place	What a pretty place!	¡Qué lugar tan bonito!	11.17
	This place is pretty lively.	Este sitio está muy animado.	13.8
	The place is already pretty lively, isn't it?	Esto está ya muy animado, ¿no crees?	15.11
plan	What do you plan to do tonight?	¿Qué piensas hacer esta noche?	9.1
	We plan to go to the beach.	Pensamos ir a la playa.	19.9
plane	We'd like to make the trip by plane.	Nos gustaría hacer el viaje en avión.	19.5
plate	I haven't got a plate.	Me falta el plato.	7.P7
play	Do you play in the orchestra?	¿Tocas en la orquesta?	8.1
	I play in the band.	Toco en la banda.	8.2
	Do you play tennis?	¿Juegas al tenis?	8.10
	I don't play very well.	No juego muy bien.	8.11
	Would you like to play a game?	¿Te gustaría jugar un partido?	8.14
	Wouldn't you like to play in the orchestra?	¿No te gustaría tocar en la orquesta?	8.P6
	Joe played his guitar.	José tocó la guitarra.	11.19

	Shall we play another record?	¿Ponemos otro disco?	13.5
	Now they're beginning to play.	Ya empiezan a tocar.	15.3
player	My parents are going to give me a record player.	Mis padres van a regalarme un tocadiscos.	10.P5
	I see you've got a new record player.	Veo que tienes un tocadiscos nuevo.	18.16
pleasant	I think the weather will be pleasant.	Creo que va a hacer un tiempo agradable.	10.P8
please	Please pass me the salt.	Por favor, pásame la sal.	7.7
plenty	He spends plenty on gas.	Gasta bastante en gasolina.	18.12
policeman	What did the policeman tell him?	¿Qué le dijo el policía?	14.P3
poor	The poor guy had an automobile accident.	El pobre tuvo un accidente de automóvil.	14.16
post card	We'd better buy some post cards here.	Mejor será que compremos aquí unas tarjetas postales.	20.P6
post office	Is this the way to the Post Office?	¿Se va por aquí al Correo?	20.12
potato	Bring me some fried potatoes.	Tráigame papas fritas.	7.P6
practice	We practice almost every week.	Practicamos casi todas las semanas.	8.P5
prefer	The rest of us prefer the seashore.	Los demás preferimos el mar.	19.11
present	Do you have her present ready?	¿Tienes el regalo listo?	10.13
pretty	She's a very pretty girl.	Es una chica muy bonita.	3.7
	She's very pretty.	Es muy linda.	3.19
	This place is pretty lively.	Este sitio está muy animado.	13.8
price	What's the price?	¿Qué precio tiene?	12.8

Q

| quite | It looks like there's going to be quite a crowd. | Parece que va a haber mucha gente. | 15.12 |

R

radio	I plan to listen to the radio.	Pienso escuchar la radio.	9.3
	Want me to take my radio?	¿Quieres que lleve la radio?	16.10
rain	With so much rain I doubt it.	Con tanta lluvia, lo dudo.	10.18
	We'll go to the lake if it doesn't rain.	Iremos al lago si no llueve.	16.P5
ranch	Our ranch is not far from here.	Nuestro rancho no está lejos de aquí.	5.P6
rather	Rather well.	Bastante bien.	1.10
reach	Go straight ahead until you reach Heroes Avenue.	Vaya todo seguido hasta llegar a la Avenida de los Héroes.	20.14

read	What book are you reading?	¿Qué libro estás leyendo?	9.13
	I plan to read a story.	Pienso leer un cuento.	9.P5
ready	I'm really ready for the holidays!	¡Qué ganas tengo de que lleguen las vacaciones!	10.5
	Do you have her present ready?	¿Tienes el regalo listo?	10.13
	We'll be ready when you get here.	Estaremos listos cuando llegues.	17.19
really	Really?	¿De veras?	3.12
	This restaurant really looks good!	¡Qué bien está este restaurante!	7.2
	I'm really ready for the holidays!	¡Qué ganas tengo de que lleguen las vacaciones!	10.5
reason	That's the reason he has his arm bandaged.	Por eso lleva el brazo vendado.	14.17
record	I'm giving her a record.	Voy a regalarle un disco.	10.14
	My parents are going to give me a record player.	Mis padres van a regalarme un tocadiscos.	10.P5
	I see you've got a new record player.	Veo que tienes un tocadiscos nuevo.	18.16
red	She bought a red dress.	Se compró un vestido rojo.	12.P4
refreshments	My uncle took the refreshments.	Mi tío llevó los refrescos.	11.P2
	The refreshments are on the table now.	Los refrescos están ya en la mesa.	15.19
regards	Regards to everybody.	Recuerdos a todos.	1.20
rehearsal	We have a rehearsal almost every week.	Tenemos ensayo casi todas las semanas.	8.P5
	At the last minute they called a rehearsal.	A última hora nos llamaron a ensayar.	13.14
	How did the rehearsal turn out?	¿Cómo resultó el ensayo?	13.15
rehearse	We always rehearse on Mondays.	Siempre ensayamos los lunes.	8.3
	What a nuisance to have to rehearse on Saturday!	¡Qué lata tener que ensayar el sábado!	12.P5
remember	Now I remember.	Ahora me acuerdo.	4.9
	Do you remember Pine Inn?	¿Te acuerdas de la Venta del Pino?	11.16
	Albert didn't remember his part very well.	Alberto no se acordaba bien de su papel.	13.17
rent	You can rent boats there.	Se pueden alquilar botes allí.	16.14
rest	The rest of us prefer the seashore.	Los demás preferimos el mar.	19.11
restaurant	This restaurant really looks good!	¡Qué bien está este restaurante!	7.2
rice	Chicken and rice for me.	Para mí el arroz con pollo.	7.8

right	You're right.	Tienes razón.	7.11
	It's right next door to the National Bank.	Queda al lado del Banco Nacional.	12.4
	The Fashion Shop is on the right.	La tienda Novedades está a mano derecha.	12.P3
	Oh, that's right, you hadn't seen it.	Es verdad, tú no lo habías visto.	18.17
	Turn to the right.	Doble usted a la derecha.	20.15
roast	The roast lamb is delicious.	El cordero asado está delicioso.	7.6
room	Here . . . We're in the living room.	Aquí estamos en la sala.	18.2
	We're in the dining room.	Estamos en el comedor.	18.P1
round-trip	I have a round-trip ticket.	Tengo billete de ida y vuelta.	19.P4
royal	We live on Royal Avenue.	Vivimos en la Avenida Real.	5.11

S

said	He said he was going to invite Beatrice.	Dijo que iba a invitar a Beatriz.	15.8
salad	Do you like salads?	¿Te gustan las ensaladas?	7.P2
salt	Please pass me the salt.	Por favor, pásame la sal.	7.14
sandwich	Do you like sandwiches?	¿Te gustan los emparedados?	7.P2
sang	We all sang some lively songs.	Todos cantamos canciones muy alegres.	11.20
Saturday	This next Saturday.	El sábado que viene.	8.6
saw	I saw it fine from the balcony.	Lo vi muy bien desde el balcón.	11.3
	We saw Julie downtown.	Vimos a Julia en el centro.	12.10
say	Say, what's that boy's name?	Oye ¿cómo se llama ese muchacho?	2.13
	They say they're sweethearts.	Dicen que son novios.	3.17
	Say! I haven't got a knife.	¡Hombre! Me falta el cuchillo.	7.16
	I should say so!	Ya lo creo.	11.2
	He said he was going to invite Beatrice.	Dijo que iba a invitar a Beatriz.	15.8
science	That must be the Museum of Sciences.	Aquél debe ser el Museo de Ciencias.	20.P1
seashore	The rest of us prefer the seashore.	Los demás preferimos el mar.	19.11
seat	George's car doesn't have seat covers.	El coche de Jorge no tiene cubreasientos.	18.P4
second	At the second intersection you have to turn left.	En la segunda bocacalle, hay que doblar a la izquierda.	12.P2
section	It's a very pretty section	Es un barrio muy bonito.	5.19

see	Well, then, see you later.	Entonces, hasta luego.	1.18
	Good-bye. Be seeing you.	Adiós. Hasta la vista.	1.19
	We'll see whichever picture you want.	Vamos a ver la película que tú quieras.	9.P6
	I haven't seen them.	No los he visto.	15.6
	You see fish there, this big.	Se ven allí peces así de grandes.	16.18
	I'm going to see him now.	Yo lo voy a ver ahora.	17.17
	Did you see George's new car?	¿Viste el coche nuevo de Jorge?	18.6
	I see you've got a new record player.	Veo que tienes un tocadiscos nuevo.	18.16
September	The 27th of September.	El 27 de septiembre.	10.P4
serious	I hope it's nothing serious.	Ojalá no sea nada serio.	14.5
set	I bought a set of dishes.	Compré una vajilla.	20.P7
	I bought a coffee set.	Compré un juego de café.	20.P7
seven	We have seven cousins.	Tenemos siete primos.	4.P4
	Number 700.	Número 700 (setecientos).	5.P5
seventeen	Is Emile seventeen years old?	¿Tiene Emilio diez y siete años?	4.P6
seventy	Number 70.	Número 70 (setenta).	5.P1
shade	It's two shades of blue.	Es azul de dos tonos.	12.12
shall	Shall we sit here?	¿Nos sentamos aquí?	7.1
	Well, shall we have something?	Bueno, ¿vamos a tomar algo?	15.20
shoe	I have to buy some black shoes.	Tengo que comprar zapatos negros.	12.18
shop	She bought it at the Fashion Shop.	Lo compró en la tienda Novedades.	12.14
shopping	What a nuisance to go shopping!	¡Qué lata es ir de compras!	12.20
should	I should say so!	¡Ya lo creo!	11.2
	What should I take?	¿Qué debo llevar?	16.3
show	Yes, there's a variety show.	Sí, hay un programa de variedades.	9.19
sick	Where's Tom? Is he sick?	¿Dónde está Tomás? ¿Está enfermo?	14.10
sing	We all sang some lively songs.	Todos cantamos canciones muy alegres.	11.20
	The singing group is wonderful.	El grupo de cantantes es estupendo.	15.13
	Charles said he was going to sing some songs.	Carlos dijo que iba a cantar unas canciones.	15.P4
sir	Yes, sir.	Sí, señor.	1.10
sister	She's Alice's sister.	Es la hermana de Alicia.	3.13
	Charles has a little sister.	Carlos tiene una hermanita.	4.12
sit	Shall we sit here?	¿Nos sentamos aquí?	7.1
	I'll sit down here.	Me siento aquí.	18.5

six	We have six cousins.	Tenemos seis primos.	4.P4
	Number 600.	Número 600 (seiscientos).	5.P5
sixteen	Is Emile sixteen years old?	¿Tiene Emilio diez y seis años?	4.P6
sixty	Number 60.	Número 60 (sesenta).	5.P1
size	That blue suit is my size.	Ese traje azul es de mi medida.	12.P8
skate	Joseph likes to skate.	A José le gusta patinar.	8.P7
slow	My watch is slow.	Mi reloj anda atrasado.	6.5
small	He lives in a small town.	Vive en un pueblo pequeño.	5.9
smart	He's also very smart.	También es muy listo.	3.5
snow	We'll go to the lake if it doesn't snow.	Iremos al lago si no nieva.	16.P5
so	With so much rain I doubt it.	Con tanta lluvia, lo dudo.	10.18
	I should say so!	Ya lo creo.	11.2
	Hi! What took you so long?	¡Hola! ¿Por qué tardaste tanto?	13.13
	I don't think so.	Creo que no.	15.5
	Who is that couple that dances so well?	¿Quién es esa pareja que baila tan bien?	15.17
	So, you're going to the capital?	¿Conque te vas a la capital?	19.17
soda	I'm going to have a soda.	Voy a tomar una soda.	13.P1
some	All right. Bring me some, please.	Muy bien. Tráigamelo, por favor.	7.7
	I took some pictures.	Saqué unas fotos.	11.4
	Richard took some of us in his car.	Ricardo llevó a algunos en su coche.	11.11
	I want to earn some money.	Quiero ganar algún dinero.	19.P3
something	Well, shall we have something?	Bueno, ¿vamos a tomar algo?	15.20
song	We all sang some lively songs.	Todos cantamos canciones muy alegres.	11.20
soon	I hope she gets better soon.	Ojalá que se mejore pronto.	1.15
sore	After the picnic, we were sore.	Después de la merienda, estábamos doloridos.	16.P4
sorry	That's too bad. I'm sorry.	¡Qué lástima! Lo siento.	1.14
	Hello. Sorry I'm a little late.	¡Hola! Siento haber llegado un poco tarde.	18.3
so-so	I'm so-so.	Estoy así así.	1.P2
soup	Do you like soups?	¿Te gustan las sopas?	7.P2
souvenir	Look at this souvenir shop.	Mira esta tienda de curiosidades.	20.4
speak	May I speak to Anthony?	¿Puedo hablar con Antonio?	17.4
spend	Does he spend much on gas?	¿Gasta mucho en gasolina?	18.11
	Where are you going to spend your vacation?	¿Dónde vas a pasar las vacaciones?	19.2
spoon	I haven't got a spoon.	Me falta la cuchara.	7.P7

sport	I like that sport.	Me gusta ese deporte.	8.P1
spring	How is the weather here in the spring?	¿Cómo es el tiempo aquí en la primavera?	10.P6
square	Go on down this street as far as Victoria Square.	Siga usted por esta calle hasta la Plaza de la Victoria.	20.18
stairway	He fell on the stairway.	Se cayó en la escalera.	14.11
station	What station shall we get?	¿Qué estación ponemos?	9.7
stay	I plan to stay at home.	Pienso quedarme en casa.	9.P5
	He said that she ought to stay in bed another day.	Dijo que debía guardar cama un día más.	14.9
	You're staying here this summer?	¿Te quedas aquí este verano?	19.6
steak	I want a veal steak.	Yo quiero un filete de ternera.	7.4
	Bring me a steak.	Tráigame un bisté.	7.P6
still	He's still in the hospital.	Está todavía en el hospital.	14.20
stomach	My stomach hurts.	Me duele el estómago.	14.P6
story	It's a story about outlaws.	Es un cuento de bandidos.	9.14
straight	Go straight ahead to the third intersection.	Siga derecho hasta la tercera bocacalle.	12.2
	Go straight ahead until you reach Heroes Avenue.	Vaya todo seguido hasta llegar a la Avenida de los Héroes.	20.13
strawberry	I'm going to have a strawberry ice.	Voy a tomar un helado de fresas.	13.P1
street	I live on Columbus Street.	Vivo en la calle Colón.	5.2
study	I plan to study a little.	Pienso estudiar un poco.	9.4
	Come on over to my house, and we'll study together.	Vente a mi casa y estudiaremos juntos.	9.6
	Come here, we're in the study.	Ven aquí, estamos en el despacho.	18.P1
suit	I need a new suit.	Necesito un traje nuevo.	12.16
	Don't forget your bathing suit.	No olvides el traje de baño.	16.12
summer	How is the weather here in the summer?	¿Cómo es el tiempo aquí en el verano?	10.P6
sunburned	After the picnic, we were sunburned.	Después de la merienda, estábamos quemados del sol.	16.P4
Sunday	They're giving a concert on Sunday.	Van a dar un concierto el domingo.	8.P3
sunglasses	Don't forget your sunglasses.	No olvides los lentes ahumados.	16.P8
sunny	In what months is it very sunny?	¿En qué meses hace mucho sol?	10.P7
supper	I like this supper.	Me gusta esta cena.	7.P1
suppose	What building do you suppose that is?	¿Qué edificio será aquél?	20.1

sure	Sure. We've got the best team.	Seguro. Tenemos el mejor equipo.	8.20
	Why, sure!	Sí, ¡cómo no!	9.18
	Sure; good idea.	Sí, hombre, muy buena idea.	16.11
	Sure! All you want.	Ya lo creo. Todos los que quieras.	16.15
	I'll let you know for sure, to-morrow.	Te lo diré con seguridad mañana.	19.16
sweetheart	They say they're sweethearts.	Dicen que son novios.	3.17
swim	Joseph likes to swim.	A José le gusta nadar.	8.P7
	Everybody wants to swim.	Todos quieren nadar.	16.13

T

table	There wasn't an empty table left.	Ya no quedaba una mesa desocupada.	13.11
take	I take the bus at 8:15.	Tomo el autobús a las ocho y cuarto.	6.9
	Take mine. I don't need it.	Toma el mío. No lo necesito.	7.17
	I took some pictures.	Saqué unas fotos.	11.4
	It took him an hour to find us.	Tardó una hora en encontrarnos.	11.15
	What should I take?	¿Qué tengo que llevar?	16.3
	Everyone's taking his own lunch.	Cada uno lleva su merienda.	16.4
	Edmund will take care of the drinks.	Edmundo se encargará de las bebidas.	16.5
	Want me to take my radio?	¿Quieres que lleve la radio?	16.10
	I'll take my fishing gear.	Llevaré mis avíos de pesca.	16.19
	There, you take Cervantes Street.	Allí toma la calle Cervantes.	20.19
team	We've got the best team.	Tenemos el mejor equipo.	8.20
telegraph	That must be the Telegraph Office.	Aquél debe ser el Telégrafo.	20.P1
telephone	What's your telephone?	¿Cuál es tu teléfono?	5.5
television	Do you want to watch television?	¿Quieres ver la televisión?	9.17
tell	Tell me, do you know who that lady is?	Dime, ¿sabes quién es esa señorita?	2.17
	Tell me about it.	Pues cuéntame.	11.10
	What did the doctor tell her?	¿Qué le dijo el médico?	14.8
	I'll tell them to expect us at seven.	Les diré que nos esperen a las siete.	17.13
	Tell me, please, is this the way to the Post Office?	Dígame, por favor, ¿se va por aquí al Correo?	20.12
ten	She is ten years old.	Tiene diez años.	4.P5
	It's just ten minutes of.	Faltan sólo diez minutos.	6.12
tennis	Do you play tennis?	¿Juegas al tenis?	8.10

terrific	The parade was terrific.	El desfile fué estupendo.	11.1
test	He just passed his test.	Acaba de pasar el examen.	18.10
thank	I'm fine, thank you.	Estoy bien, gracias.	1.7
	Thank you very much.	Muchas gracias.	1.16
theatre	They're going to wait for us at the theatre.	Van a esperarnos en el teatro.	17.P5
then	Well, then, see you later.	Entonces, hasta luego.	1.18
there	There are Raymond and Charlotte.	Allí están Ramón y Carlota.	3.16
	There isn't any more.	Ya no hay.	7.5
	Yesterday there were even more people here.	Ayer había aun más gente.	13.9
thermos	If we go to the lake, I'll take a thermos.	Si vamos al lago, llevaré un termo.	16.P6
think	I think he's Mr. López Marín.	Creo que es el señor López Marín.	2.20
	And just think, it was a bargain!	Y figúrate que fué una ganga.	12.15
	I don't think so.	Creo que no.	15.5
third	Go straight ahead to the third intersection.	Siga derecho hasta la tercera bocacalle.	12.2
thirsty	When they got home, they were thirsty.	Cuando llegaron a casa, tenían sed.	13.P8
thirteen	She's thirteen years old.	Tiene trece años.	4.P5
thirty	Number 30.	Número 30 (treinta).	5.3
	We get here at 8:30.	Llegamos aquí a las ocho y media.	6.10
thousand	Number 1000.	Número 1000 (mil).	5.P5
	The car has only gone a hundred-thousand kilometers.	El coche tiene solamente cien mil kilómetros.	18.8
three	We have three cousins.	Tenemos tres primos.	4.11
	Number 300.	Número 300 (trescientos).	5.P4
throat	My throat hurts.	Me duele la garganta.	14.P6
Thursday	We're going to give a concert on Thursday.	Vamos a dar un concierto el jueves.	8.4
ticket	I have a round-trip ticket.	Tengo billete de ida y vuelta.	19.P4
	We'd better buy the tickets here.	Mejor será que compremos los boletos aquí.	20.P6
tie	I have to buy a blue tie.	Tengo que comprar una corbata azul.	12.P6
time	What time is it?	¿Qué hora es?	6.1
	Then we'll have time this afternoon.	Entonces tenemos tiempo esta tarde.	6.19
	This time we're going to beat them.	Esta vez les vamos a ganar.	8.19
	I had a marvelous time.	Lo pasé estupendamente.	11.9

tire	George's car doesn't have good tires.	El coche de Jorge no tiene llantas buenas.	18.P4
tired	When they got home, they were tired.	Cuando llegaron a casa, estaban cansados.	13.P8
today	Today's the 14th.	Hoy estamos a 14.	10.2
toe	He broke a toe.	Se rompió un dedo del pie.	14.P2
together	We'll get together a little before four.	Nos veremos un poco antes de las cuatro.	6.20
	Come on over to my house, and we'll study together.	Vente a mi casa y estudiaremos juntos.	9.6
tomato	Bring me some tomato soup.	Tráigame sopa de tomate.	7.P6
tomorrow	Well, then, see you tomorrow.	Entonces, hasta mañana.	1.P6
	Tomorrow is Mary's birthday.	Mañana es el cumpleaños de María.	10.12
tonight	What do you plan to do tonight?	¿Qué piensas hacer esta noche?	9.1
too	And she's vivacious, too.	Y además es graciosa.	3.8
	Here's the salt, and the pepper, too.	Aquí está la sal, y también la pimienta.	7.15
	Me, too.	Y yo lo mismo, chico.	10.6
	The shoes that I have are too small for me.	Los zapatos que tengo me quedan pequeños.	12.19
	Her hairdo is too extreme.	Su peinado es muy exagerado.	15.16
took	I took some pictures	Saqué unas fotos.	11.4
	Richard took some of us in his car.	Ricardo llevó a algunos en su coche.	11.11
	It took him an hour to find us.	Tardó una hora en encontrarnos.	11.15
	We took some pictures.	Sacamos unas fotos.	11.P3
tooth	He broke a tooth.	Se rompió un diente.	14.12
tourist	I have tourist passage.	Tengo pasaje de turista.	19.P4
town	He lives in a small town.	Vive en un pueblo pequeño.	5.9
	It's near the center of town.	Está muy cerca del centro.	5.14
train	We'd like to make the trip by train.	Nos gustaría hacer el viaje en tren.	19.P2
tray	I bought some trays.	Compré unas bandejas.	20.P7
trip	I need a new suit for the trip.	Necesito un traje nuevo para el viaje.	12.P7
	We'd like to make the trip by plane.	Nos gustaría hacer el viaje en avión.	19.5
trouble	The trouble is that it costs a lot.	Lo malo es que cuesta mucho.	19.4
Tuesday	They're going to give a concert on Tuesday.	Van a dar un concierto el martes.	8.P3

turn	There you have to turn left.	Allí hay que doblar a la izquierda.	12.3
	How did the rehearsal turn out?	¿Cómo resultó el ensayo?	13.15
	I hope that on opening night everything turns out better.	Ojalá que en el estreno todo resulte mejor.	13.20
twelve	She's twelve years old.	Tiene doce años.	4.P5
	Number 12.	Número 12 (doce).	5.6
twenty	He's twenty years old already.	Tiene ya veinte años.	4.8
	Number 21.	Número 21 (veintiuno).	5.6
two	They're two very likeable girls.	Son dos chicas muy simpáticas.	3.14

U

| uncle | My uncle is very likeable. | Mi tío es muy simpático. | 4.17 |
| usual | It begins at nine, as usual. | Empieza a las nueve, como siempre. | 8.7 |

V

vacation	We'll soon be on vacation!	¡Pronto estaremos de vacaciones!	19.1
variety	Yes, there's a variety show.	Sí, hay un programa de variedades.	9.19
veal	I want a veal steak.	Yo quiero un filete de ternera.	7.4
vegetable	I don't like the vegetables at all.	No me gustan nada las legumbres.	7.12
very	Thank you very much.	Muchas gracias.	1.16
	He's also very smart.	También es muy listo.	3.5
vivacious	And she's vivacious, too.	Y además es graciosa.	3.8

W

wait	They're going to wait for us on the corner.	Van a esperarnos en la esquina.	17.P5
walk	We walked as far as the Lookout.	Fuimos a pie hasta el Mirador.	11.13
want	When do you want to go to the movies?	¿Cuándo quieres ir al cine?	6.15
	I want a veal steak.	Quiero un filete de ternera.	7.4
	Whichever station you want.	La estación que tú quieras.	9.8
	Did you buy those records you wanted?	¿Compraste aquellos discos que querías?	18.13
was	The parade was terrific.	El desfile fué estupendo.	11.1
	It was four o'clock when we got here.	Eran las cuatro cuando llegamos.	13.10
	There wasn't an empty table left.	Ya no quedaba una mesa desocupada.	13.11

	Mariana was a little nervous.	Mariana estaba algo nerviosa.	13.19
	Was anyone else injured?	¿Hubo alguien más herido?	14.19
watch	According to my watch it's two o'clock.	Según mi reloj, son las dos.	6.4
	Do you want to watch television?	¿Quieres ver la televisión?	9.17
	I plan to watch television.	Pienso mirar la televisión.	9.P5
	Watch out! The light's changing.	¡Cuidado, que cambian las luces!	20.3
water	Don't forget the ice water.	No olvides el agua helada.	16.P8
way	Is this the way to the Post Office?	¿Se va por aquí al Correo?	20.12
weak	What's the matter? Do you feel weak?	¿Qué te pasa? ¿Te sientes débil?	14.P5
weather	I hope the weather's good.	Ojalá que haga buen tiempo.	10.17
	The weather is bad.	Hace mal tiempo.	10.19
	I think the weather will be pleasant.	Creo que va a hacer un tiempo agradable.	10.P8
Wednesday	They're going to give a concert on Wednesday.	Van a dar un concierto el miércoles.	8.P3
week	We bowl almost every week.	Jugamos al boliche casi todas las semanas.	8.14
weekend	The weather is always bad on weekends.	Siempre hace mal tiempo los fines de semana.	10.19
welcome	You'll be welcome there any time.	Allí tiene usted su casa.	5.13
well	The family is well?	La familia ¿está bien?	1.9
	Well, I've got to go.	Bueno, tengo que irme.	1.17
	Well, then, see you later.	Entonces, hasta luego.	1.18
	Well, hurry up; you're going to be late.	Pues date prisa, que vas a llegar tarde.	6.6
	I don't play very well.	No juego muy bien.	8.11
went	Others went on their bikes.	Otros fueron en bicicleta.	11.12
	We went there to have the picnic.	Allí fuimos a merendar.	11.18
	I went to the country.	Fuí al campo.	11.P1
were	The songs were terrific.	Las canciones fueron estupendas.	11.P4
	Yesterday there were even more people here.	Ayer había aun más gente.	13.9
	When they got home, they were tired.	Cuando llegaron a casa, estaban cansados.	13.P8
what	What's your last name?	¿Cuál es tu apellido?	2.11
	What street does your cousin live on?	¿En qué calle vive tu primo?	5.7
	What do you plan to do tonight?	¿Qué piensas hacer esta noche?	9.1
	What a crowd!	¡Qué gentío!	11.2

when	When do you want to go to the movies?	¿Cuándo quieres ir al cine?	6.15
where	Where do you live?	¿Dónde vives?	5.1
whichever	Whichever station you want.	La estación que tú quieras.	9.8
white	She bought a white dress.	Se compró un vestido blanco.	12.P4
who	Who is that lady?	¿Quién es esa señorita?	2.17
	Who are you going with?	¿Con quién vas a ir?	8.8
why	Why don't you come with us this afternoon?	¿Por qué no vienes con nosotros esta tarde?	8.15
	Why, sure!	Sí, ¡cómo no!	9.18
	That's why he works on Saturdays.	Por eso trabaja los sábados.	18.12
windy	In what months is it very windy?	¿En qué meses hace mucho viento?	10.P7
winter	This winter has been awful.	Este invierno ha sido malísimo.	10.20
woman	Do you know who that woman is?	¿Sabes quién es esa mujer?	2.P4
wonderful	I think the weather will be wonderful.	Creo que va a hacer un tiempo magnífico.	10.P8
	The singing group is wonderful.	El grupo de cantantes es estupendo.	15.13
	Wonderful. One of the best.	Magnífico. Uno de los mejores.	16.17
	It's a wonderful car.	¡Es un coche formidable!	18.7
	Here's a wonderful record.	Aquí tengo un disco precioso.	18.20
work	He works on Saturdays.	Trabaja los sábados.	18.12
	Are you planning to work?	¿Piensas trabajar?	19.8
worse	I think the weather will be worse.	Creo que va a hacer peor tiempo.	10.P8
wrist	He hurt his wrist.	Se lastimó la muñeca.	14.P1

Y

year	He's twenty years old already.	Tiene ya veinte años.	4.8
yellow	She bought a yellow dress.	Se compró un vestido amarillo.	12.P4
yes	Yes, sir.	Sí, señor.	1.10
yesterday	Why didn't you go on the picnic yesterday?	¿Por qué no fuiste ayer a la merienda?	11.5
younger	The other is younger.	El otro es menor.	4.5

Spanish Word List

A

a to; at
abril April
aburrido boring
acabar to finish; **acaba de pasar el examen** he has just passed his test
accidente accident
acompañar to go with
acordarse to remember
actividad activity
acuerdo: me acuerdo I remember
adelantado fast
adelante come in
además too, besides
adiós good-bye
adonde where
¿adónde? where?
agitado excited
agosto August
agradable pleasant
agua water
¡ah! oh!
ahí there; **ahí vienen** here they come
ahora now
ahumado: lentes ahumados sunglasses
ajedrez chess
al to the; at the
alegre lively
algo something; anything; a little
alguien someone, anyone
algún, alguno some
almuerzo lunch
alquilar to rent
allí there, over there
amarillo yellow
amigo friend
anda atrasado is slow
animado lively
anoche last night
antes before
año year
apellido last name
aquel, aquella that
aquél, aquélla that (one)

aquellos those
aquí here; **por aquí** this way
arroz rice
asado roast
así so; **así de grande** this big
atrasado slow
aun even
autobús bus
automóvil automobile
avenida avenue
avión plane
avíos equipment; **avíos de pesca** fishing gear
¡ay! oh!
ayer yesterday
azul blue

B

bailar to dance
baile dance
balcón balcony
banco bank
banda band
bandeja tray
bandido outlaw
banquetazo feast
banquete banquet
baño: traje de baño bathing suit
barato cheap
barrio section (of town)
bastante enough, plenty; rather
bebida drink
béisbol baseball
bicicleta bike
bien well, fine, nice, all right; very
billete ticket
bisté steak
blanco white
blusa blouse
bocacalle intersection
boleto ticket
boliche bowling
bonito pretty
bote boat

brazo arm
buen, bueno good, fine, nice
bueno well, all right; hello
buscar to look for; **iré a buscarte** I'll go by for you

C

caballo horse
cabeza head
cada each, every; **cada uno** everyone
caerse to fall (down)
café coffee
cafetería cafeteria
calentador heater
calor heat; **hacer calor** to be hot (weather); **tener calor** to be hot
calle street
cama bed
cámara camera
camarera stewardess, hostess
camarero waiter
cambiar to change
camino road; **camino de** on the way to
campo country
canción song
cansado tired
cantante singer
cantar to sing
capital capital
cara face
caro expensive
casa house, home; **casita** little house
casi almost
catarro cold
catedral cathedral
catorce fourteen
cavidad cavity
cayó fell
cena supper
centro center (of town); **en el centro** downtown
cerca near
cero zero
cesta basket
cien (one) hundred
ciencia science
ciento (one) hundred
cinco five
cincuenta fifty
cine movies
ciudad city

claro clear; light; naturally, of course
cocina kitchen
coche car; **cochecito** small car
Colón Columbus
color color
comedor dining room
comer to eat; **vienen a comer** they are coming to dinner
comida food; meal; dinner; **comidita** little meal
como as, like
¿cómo? how?; **¿cómo es Elena?** what is Helen like?
¡cómo no! of course!
compra purchase; **ir de compras** to go shopping
comprar to buy
con with
concierto concert
conmigo with me
conocer to know
conozco I know
conque (and) so
contar to tell
contento happy
corbata tie
cordero lamb
correo post office
costar to cost
creer to believe, to think; **ya lo creo** sure!, I should say so!
cruce del camino crossroad
cuadra block
¿cuál? which?, what?
cuando when
¿cuándo? when?
¿cuánto? how much?; how long?
¡cuánto! how much!
cuantos: unos cuantos a few
¿cuántos? how many?; **¿a cuántos estamos?** what's the date?
cuarenta forty
cuarto quarter; fourth
cuatro four
cuatrocientos four hundred
cubreasientos seat covers
cuchara spoon
cuchillo knife
cuenta bill
cuéntame tell me (about it)

cuento story
cuerpo body; **me duele todo el cuerpo** I ache all over
cuesta costs
¡cuidado! careful!
cumpleaños birthday
cumplir: voy a cumplir quince años I'll be fifteen years old
curiosidad: tienda de curiosidades souvenir shop

Ch

chica girl
chico boy, guy
chiquita little girl
chocolate chocolate

D

dar to give
de of; from; about
deber ought to; must
débil weak
decir to say, to tell
dedo finger; **dedo del pie** toe
dejar to leave
del of the
delicioso delicious
demás rest
dentista dentist
dependiente clerk
deporte sport
derecho straight; **a la derecha** to the right; **a mano derecha** on the right
desayuno breakfast
desde from; since
desear to wish; **¿qué desean tomar?** what would you like to have?
desfile parade
desocupado empty
despacho study
después after, afterwards
detrás behind
día day; **buenos días** good morning; **el día cuatro** on the fourth
dice says
diciembre December
diente tooth
diez ten; **diez y seis** sixteen; etc.
¡diga! hello!
dígame tell me

dijo said, told
dime tell me
dimos we gave
dinero money
dió gave
diré I'll say, I'll tell
dirección address
disco record
diversión entertainment
divertido amusing, funny, lots of fun
divinamente: le va divinamente it looks lovely on her
doblar to turn
doce twelve
doctor doctor
doler to ache, to hurt
dolorido sore
domingo Sunday
donde where
¿dónde? where?
dos two; **los dos** both
doscientos two hundred
dudar to doubt
duele aches, hurts
durar to last

E

edificio building
el the; **el que** the one that
él he, him
ella she, her
ellos they, them
emparedado sandwich
empezar to begin
empleado employee, clerk, attendant
empleo job
en in, on, at, by
encantar: me encantaría I'd love to
encargar to charge, to tell; **encargarse de** to take charge of, to take care of
encontrar to find; **encontrarse con** to meet
enero January
enfermedad illness
enfermera nurse
enfermería infirmary
enfermo sick
enfrente in front
ensalada salad
ensayar to rehearse

ensayo rehearsal
entonces then
entusiasmado excited
equipaje baggage
equipo team
era was
eres you are
es is
esa that
ésa that (one)
escalera stairway
escuchar to listen (to)
ese that
ése that (one)
eso that; **a eso de las ocho** around eight o'clock; **por eso** that's why, that's the reason
esos those
espalda back
esperar to hope; to expect; to wait (for)
esquina corner
esta this
ésta this (one)
estación station
estar to be
estas these
este this
éste this (one)
esto this; this place
estómago stomach
estos these
estreno first performance, opening night
estudiar to study
estupendamente wonderfully; **lo pasé estupendamente** I had a marvelous time
estupendo wonderful, terrific
estuve I was
exagerado extreme
examen test
excursión outing
extranjero foreign; **al extranjero** abroad

F

faltar to be lacking; **¿cuánto falta para las doce?** how near twelve is it?; **me falta el cuchillo** I haven't got a knife
familia family
faro headlight
favor favor; **por favor** please
febrero February

fecha date
fiebre fever
fiesta party; **día de fiesta** holiday
fiestecita little party
figurar: figúrate just think
fijar: fíjate notice
filete steak
fin end; **por fin** at last
final end
formidable wonderful
fortuna: por fortuna fortunately
foto picture
fresa strawberry
fresco fresh
frío cold; **hacer frío** to be cold (weather); **tener frío** to be cold
frito fried
fruta fruit
fué was; went
fútbol football

G

galleta cookie
gana desire; **tener ganas** to feel like, to want; **¡qué ganas tengo de que lleguen!** I'm really ready for them!
ganar to earn; to win, to beat
ganga bargain
garganta throat
gasolina gas
gastar to spend
gente people; **mucha gente** quite a crowd; **¡cuánta gente!** how many people!
gentío crowd
gracia wit, charm, vivacity; **gracias** thanks, thank you; **tener gracia** to be funny, to be lots of fun
gracioso vivacious, charming; funny
grande big
gris gray
grupo group
guardar cama to stay in bed
guía guidebook
guitarra guitar
gustar to please; **me gusta el tenis** I like tennis
gusto pleasure; **mucho gusto** glad to know you; **con mucho gusto** I'd like to

H

ha has

haber to have; **va a haber** there's going to be; **ha habido** there has been; **había** had; there was, there were

hablar to speak, to talk

habrá there will be

hacer to make, to do; **hace una hora** an hour ago; **se hace tarde** it is getting late; **hace mal tiempo** the weather is bad

haga make, do; **no hagas eso** don't do that

hambre hunger; **tener hambre** to be hungry

hasta until; to, up to, as far as; **hasta luego** see you later; **hasta la vista** be seeing you

hay there is, there are

haya has

he I have

helado ice (cream); **agua helada** ice water

hemos we have

herido injured

hermana sister; **hermanita** little sister

hermano brother; **hermanito** little brother

héroe hero

hija daughter; **hijita** little daughter; my dear; **hija única** only child

hijo son; **hijito** little son; **hijo único** only child

¡hola! hi!, hello!

hombre man; **¡hombre!** say!; **sí, hombre** sure

hora hour; time; **a última hora** at the last minute

hospital hospital

hotel hotel

hoy today

hubo there was, there were

I

iba went, was going

ida y vuelta round trip

idea idea

igual equal; the same; **me es igual** it doesn't matter

importar: no importa that's all right

interesante interesting

invierno winter

invitado guest

invitar to invite

ir to go; **irse** to go, to leave

izquierdo left; **a la izquierda** to the left; **a mano izquierda** on the left

J

jamón ham

juego I play

juego de café coffee set

jueves Thursday

jugar to play

julio July

junio June

juntos together

K

kilómetro kilometer

kiosko newsstand

L

la the; her, it, you; **la que** the one that

lado side; **al lado de** beside, right next to; **ahí al lado** over there

lago lake

largo long

las the; them; you; **las que** those that

lástima pity; **¡qué lástima!** that's too bad!

lastimar to hurt, to injure

lata nuisance

le him, her, it, you

leche milk

lechuga lettuce

leer to read

legumbre vegetable

lejos far

lentes ahumados sunglasses

les them, you

leyendo reading

libre free; **¿tienes esta noche libre?** are you doing anything tonight?

libro book; **librito** little book

licencia license

ligero lightweight

limonada lemonade

lindo pretty, lovely; **lindísimo** very pretty

listo ready; smart; **listísimo** very smart

lo the; him, it, you; **lo que** what

los the; them, you; **los que** those that

luces lights

luego then; **hasta luego** see you later

lugar place
lunes Monday
luz light

Ll

llamar to call; **llamarse** to be named
llanta tire
llegar to arrive, to get (to), to reach, to come
llevar to carry, to take; to wear
llueve it rains
lluvia rain

M

madre mother
magnífico fine, wonderful
mal, malo bad; **malísimo** awful; **lo malo es** the trouble is
malteada malted
mamá mother
manejar to drive; **licencia para manejar** driver's license
mano hand; **a mano derecha** on the right
mantequilla butter
mañana morning; tomorrow
mar sea; seashore
marcharse to leave
mareado dizzy
marina navy
martes Tuesday
marzo March
más more, most; **nada más (que)** only, just; **un día más** another day
mayo May
mayor older, oldest
me me; myself
media: a las ocho y media at half past eight, at 8:30
medianoche midnight
médico doctor
medida measure, size
medio half
mediodía noon
mejor better, best
mejorar to get better
menor younger, youngest
menos less; **al menos** at least; **por lo menos** at least; **las tres menos cuarto** a quarter to three
merendar to have lunch, to have a picnic
merienda lunch, picnic

mes month
mesa table
mi my
mí me; myself
mía mine
miércoles Wednesday
mil (one) thousand
minuto minute
mío mine
mirador lookout
mirar to look (at), to watch
mis my
mismo same; **allí mismo** right there; **allí mismo lo verá** you can't miss it
molestarse to bother
momento moment, minute
montaña mountain
motor motor
mucha much, a lot (of)
muchacha girl
muchacho boy; **muchachito** little boy
muchas many
mucho much, a lot (of); very
muchos many
mujer woman
muñeca wrist; doll
museo museum
música music
muy very; too

N

nacional national
nada nothing, not . . . anything; not at all; **nada más (que)** only, just
nadar to swim
naranjada orangeade
nariz nose
necesitar to need
negro black
nervioso nervous
ni neither, nor
nieva it snows
no no; not
noche night; evening; **esta noche** this evening, tonight
nombre name
nos us; ourselves; one another
nosotros we, us
noticias news
novecientos nine hundred

novedades fashions
novela novel
noventa ninety
noviembre November
novio sweetheart
nublado cloudy
nuestro our
Nueva York New York
nueve nine
nuevo new
número number
nunca never, not . . . ever

O

o or
octubre October
ochenta eighty
ocho eight
ochocientos eight hundred
¡oh! oh!
oigo I hear
oír to hear
ojalá I hope
ojo eye
olvidar to forget; se te olvida you forget
once eleven
orquesta orchestra
oscuro dark
otoño fall
otro other, another
¡oye! say!

P

padre father; padres parents
palacio palace
pan bread
papa potato
papá dad
papel part, rôle
para for, to, in order to; para que so that; está para is about to
parecer to seem, to look like; me parece muy bien that's all right with me
parecido like, similar; bien parecido good-looking
pareja couple
parque park
parte part; ¿de parte de quién? who's calling?

particular particular, special
partido game
pasaje passage
pasaporte passport
pasar to pass; to happen; to spend; to come by, to go by; lo pasé muy bien I had a good time; ¿qué te pasa? what's the matter?
paseo drive
pasteles pastry
patinar to skate
peces fish
peinado hairdo
película movie, picture
pensar to plan
peor worse, worst
pequeño small
perder to lose; perderse to get lost
perdonar to pardon
periódico newspaper
periodista reporter
pero but
pesado heavy
pesca fishing
pescado fish
pescar to fish; to catch
peso peso
pez fish
pie foot; ir a pie to walk
pienso I plan
pierna leg
pimienta pepper
pino pine
pirata pirate
plano (city) map
plato plate; dish, food
playa beach
plaza square
pobre poor; ¡pobrecitos peces! poor little fish!
poco little; pocos few
poder to be able; can; may
podríamos we could
policía policeman
policíaco detective
pollo chicken
poner to put (on); to get; to play; to adjust
pongo I put; I'll turn on
por by; for; in; along, down

¿**por qué?** why?
porque because; for
postal post card
postre dessert
practicar to practice
precio price
precioso lovely, wonderful
preferir to prefer
prima cousin
primavera spring
primero first
primo cousin; **primito** little cousin
prisa haste; **de prisa** fast; **darse prisa** to hurry up; **tener prisa** to be in a hurry
programa program
pronto soon
próximo next
pueblo town
puedo I can
pues then, well
punto: a las ocho en punto at exactly eight

Q

que who; that; than; for
¿**qué?** what?
¡**qué!** what (a)!, how!
quedar to be left; to be; **quedarse** to stay
quemado del sol sunburned
querer to want
queso cheese
¿**quién?** who?
quiero I want
quince fifteen
quinientos five hundred
quinto fifth
quizá maybe; **quizá vayamos** we may go

R

radio radio
rancho ranch
razón reason; **tener razón** to be right
real royal
recuerdos regards
refrescos refreshments
regalar to give
regalo present, gift; **regalito** little present
regular fair
reloj watch
restaurante restaurant

resultar to result, to turn out
reunión get-together
revista magazine
rojo red
romper to break

S

sábado Saturday
saber to know
sacar to take
sal salt
sala living room
saldremos we'll leave
salgan come out, turn out
salgo I leave
salir to leave; to go out, to come out; to turn out
salón ballroom
saludos greetings
saqué I took
se him, her, you, it, them; himself, herself, itself, yourself, themselves, yourselves
sé I know
sea is
sed thirst; **tener sed** to be thirsty
seguido straight; **todo seguido** straight ahead
seguir to go on
según according to
segundo second
seguridad: con seguridad for sure
seguro sure
seis six
seiscientos six hundred
semana week
sentarse to sit (down)
sentir to regret, to be sorry; **sentirse** to feel
señas address
señor sir; Mr.; man
señora ma'am; Mrs.; lady; wife
señores Mr. and Mrs.; men; people
señorita Miss; lady
septiembre September
ser to be
serio serious
servilleta napkin
servir to serve; ¿**en qué puedo servirle?** what can I do for you?
sesenta sixty
setecientos seven hundred

setenta seventy
si if
sí yes
siempre always
siento: lo siento I'm sorry; **me siento aquí** I'll sit down here; **me siento mal** I feel bad
siete seven
siga go ahead
silla chair
simpático nice, likeable
sirve serves; waits on
sitio place
sobre todo especially
sobrina niece
sobrino nephew
soda soda
sol sun; **hacer sol** to be sunny
solamente only
sólo only, just
sombrero hat
somos we are
son are
sopa soup
soy I am
su his, her, its, your, their
suelto change
suerte luck
supuesto: por supuesto naturally
sus his, her, its, your, their
suyo his, hers, its, yours, theirs

T

tal: ¿qué tal? how?, how goes it?; **tal vez** maybe
también also, too
tampoco neither, not . . . either
tan as, so; **¡qué lugar tan bonito!** what a pretty place!
tango tango
tanto so much
tardar to take (long)
tarde afternoon; late; **más tarde** later
tarjeta postal post card
te you; yourself
teatro theatre
teléfono telephone
telégrafo telegraph (office)
televisión television

tenedor fork
tener to have; **tener que** to have to; **aquí tiene** here is
tengo I have
tenis tennis
tercero third
terminar to finish; to be over
termo thermos
ternera veal
terrible terrible
ti you
tía aunt
tiempo time; weather; **a tiempo** in time; **¿cuánto tiempo?** how long?; **hace mal tiempo** the weather is bad
tienda shop
tiene has
tío uncle
tobillo ankle
tocadiscos record player
tocar to play
todavía still
todo all; everything; **todo seguido** straight ahead
todos all; every; everybody
tomar to take; to have
tomate tomato
tono tone, shade
trabajar to work
traer to bring
tráigame bring me
traigo I bring, I'll bring
traje suit; dress
trece thirteen
treinta thirty
tren train
tres three
trescientos three hundred
tu your
tú you
turista tourist
tuyo yours

U

último last, latest
un, uno a, an; one
único only
unos some; about
usted you

V

va goes, is going; **el vestido le va divinamente** the dress looks lovely on her

vacaciones holidays, vacation

vajilla set of dishes

vamos we go, we are going; **¿vamos a bailar?** do you want to dance?; **vamos a darnos prisa** let's hurry

van go, are going

vapor boat

variedades variety

vas you go, you are going

vaso glass

vaya go

veas see

veces times

veinte twenty; **veintiuno** twenty-one; etc.

ven come

vendado bandaged

vendedor salesman

vendremos we'll come

venir to come

venta inn

vente come on over

veo I see

ver to see, to watch

verano summer

veras: ¿de veras? really?

verdad truth; **¿verdad?** aren't you, doesn't it?, etc.; **es verdad** that's right

verde green

veremos we'll see; **nos veremos** we'll get together

vestido dress

vez time; **otra vez** again; **tal vez** maybe

vi I saw

viaje trip

viene comes, is coming; **el sábado que viene** next Saturday

viento wind; **hace viento** it is windy

viernes Friday

vine I came

vista sight; view; **hasta la vista** be seeing you

visto seen

vivir to live

voy I go, I am going

vuelta turn; return; **de vuelta** back; **de ida y vuelta** round-trip

Y

y and

ya already; now; later; **ya que** since

yo I

Z

zapato shoe